HUNANBORTREAD

Hunanbortread

David Griffiths

Golygydd:
Arfon Haines Davies

Diolchiadau

Mae Llyfrgell Genedlaethol Cymru wedi bod yn hael ei chymorth a'i chefnogaeth i mi ar hyd fy ngyrfa. Nid yn unig mae ganddi gasgliad nodedig o fy lluniau, ond hefyd trefnodd arddangosfa swmpus a gofalus o'm gwaith yn 2002.

Rwy'n ddyledus i Howard Nicholls am ei gyfeillgarwch a'i gefnogaeth werthfawr dros ddau ddegawd ac am fy nghyflwyno i fyd technolegol sy'n gynyddol fwy rhyfeddol bob dydd.

Diolch arbennig i Arfon Haines Davies – oni bai amdano, ni fyddai'r gyfrol hon wedi gweld golau dydd. Rwy'n edmygydd mawr o'i frwdfrydedd a'i ymroddiad a'i ofal dros fanylion. Gyda'i amynedd diderfyn, ei feddylgarwch a'i sensitifrwydd, mae wedi fy nhywys yn grefftus ar hyd taith yr ysgrifennu.

Diolch i Gyngor Llyfrau Cymru am y comisiwn ac i Myrddin ap Dafydd a'r tîm yng Ngwasg Carreg Gwalch am eu cyngor a'u harweiniad ardderchog.

Argraffiad cyntaf: 2021

ⓗ David Griffiths / Gwasg Carreg Gwalch

Cyhoeddir gan Wasg Carreg Gwalch,
12 Iard yr Orsaf, Llanrwst, Conwy, LL26 0EH.
Ffôn: 01492 642031 Ffacs: 01492 641502
e-bost: llyfrau@carreg-gwalch.cymru
lle ar y we: www.carreg-gwalch.cymru

Rhif rhyngwladol: 978-1-84527-835-9

CYNGOR LLYFRAU CYMRU

Mae'r cyhoeddwr yn cydnabod cefnogaeth ariannol
Cyngor Llyfrau Cymru

Cynllun clawr: Eleri Owen

I
Howard a Diane

Cynnwys

Rhagair

Tuag ugain mlynedd yn ôl mi brynais dirlun olew mewn siop hen greiriau yng Nghaerdydd. Yn anffodus, mi roedd angen tipyn o waith adfer a glanhau ar y llun a gofynnais i ffrind oedd yn gweithio yn adran gynllunio HTV os oedd yn gwybod am unrhyw un a fydde'n gallu helpu. Atebodd yn syth, 'David Griffiths, ac mae o'n byw rownd y gornel o'r lle dwi'n byw!'

Trefnwyd i mi ei gyfarfod i drafod y mater. Rhaid imi gyfaddef, oherwydd fy niddordeb mewn celf roeddwn wrth fy modd bod yn ei gwmni, yn gwrando ar ei storïau am artistiaid roedd wedi eu hadnabod, y cefndir i rai o'i bortreadau enwog a'i farn ar gelf cyfoes.

Yn ystod y blynyddoedd diwethaf dwi wedi awgrymu sawl gwaith y dylai roi ei atgofion ar bapur fel bod eraill hefyd yn gallu eu mwynhau.

Dwi wedi bod mor ffodus dros sawl paned o goffi i glywed ei storïau difyr a doniol am rai o enwogion y genedl. Pwy losgodd ginio Cynan? Gwynfor a'i *chips*, a beth oedd barn Kyffin Williams am bortread David ohono?

Gan ei fod yn berson eitha swil ac yn sicr yn un o'r bobol mwyaf diymhongar dwi wedi eu cyfarfod, doedd dim syndod mai "Na, dwi ddim yn meddwl" oedd ei ateb bob tro.

Gofynnais iddo eto yn ystod y cyfnod clo, gan awgrymu y byddai hyn yn amser delfrydol i rannu hanes ei fywyd a'i brofiadau yn y byd celf. Cytunodd!

Gobeithio y gwnewch chithau hefyd fel darllenwyr fwynhau clywed am ei fagwraeth ym Mhwllheli yn y 40au a'r 50au, ei gyfnod yn ysgol gelf fyd-enwog y Slade, a sut y llwyddodd i ddod yn un o artistiaid portreadau enwocaf Cymru.

Arfon Haines Davies
Haf 2021

Pennod 1

Dyddiau Cynnar

Dwi wedi meddwl sawl gwaith mai Hitler oedd yn gyfrifol am i mi gael gyrfa fel artist. Gadewch i mi esbonio!

Fe ges i fy ngeni ym 1939 ym Mossley Hill, Lerpwl, yn frawd bach i fy chwaer Mary a oedd bedair blynedd yn hŷn na mi. Roedd fy nhad, Fred, yn gweithio ym Manc y Midland, a fy mam, Muriel, yn athrawes. Roedd y ddau yn aelodau yng Nghapel Stanley Road lle roedd eu tadau yn flaenoriaid, a dyma ble ddechreuodd y berthynas.

Yn ogystal â bod yn aelodau yn yr un capel, mi roeddent hefyd yn rhannu'r un diddordeb yn y ddrama. Roeddent yn aml yn actio gyda'i gilydd yn yr un cynyrchiadau ar lwyfannau amatur Lerpwl. Yn ôl fy mam roedd fy nhad yn actor o reddf ac argyhoeddiad. Roedd fy mam yn cofio un achlysur pan fu'r ddau'n actio yn nrama Emlyn Williams *Night Must Fall* ac iddi ddechrau crio ar y llwyfan yn ystod y diweddglo pwerus oherwydd fod ei berfformiad fel Danny mor gredadwy.

Yn fuan ar ôl i mi gael fy ngeni mi ddechreuodd yr Ail Ryfel Byd gyda Lerpwl yn darged dyddiol i fomiau Hitler. Yn ôl fy rhieni pan glywid sŵn y seiren fin nos mi fyddwn yn cael fy llusgo o fy nghòt i'r shelter agosaf.

Yr un atgof sydd gen i o'r cyfnod yma yw bod yn fy nghadair wthio, yn pwyntio i fyny i'r awyr ac yn gweld balŵn *barrage* anferth yn hofran uwch fy mhen.

Gyda fy chwaer, Mary

Tua'r amser yma sylweddolodd fy rhieni nad dyma oedd y lle gorau i fagu teulu ifanc, a symudom i Orrell ger Wigan. Roedd fy nhad wedi llwyddo i gael ei symud i weithio yn y banc yn Warrington. Trefnwyd i rentu tŷ yn Orrell oedd yn eiddo i fam y digrifwr poblogaidd George Formby.

Mi fûm yn ddisgybl yn Ysgol Gynradd Orrell am ychydig dros dymor, ond mae fy atgofion o'r cyfnod i gyd yn ymwneud â digwyddiadau'r tu allan i'r ysgol.

Un o'r digwyddiadau yma yn sicr oedd fy ymweliad cyntaf â'r sinema i weld clasur Walt Disney, *Bambi*, ac mae'r ddelwedd o Bambi a Thumper ar y rhew mor fyw i mi heddiw ag yr oedd nôl yn y pedwardegau. Dyma yn sicr oedd dechrau fy niddordeb yn y byd ffilmiau ac edrychwn ymlaen yn eiddgar i ymweliadau â sinema'r Lyric yn Upholland. Roedd lleoliad y sinema'n gyfleus iawn i fy rhieni oherwydd mi roedd cwrs golff ychydig funudau i ffwrdd. Felly tra roeddwn i a fy chwaer yn mwynhau anturiaethau'r cowbois a helyntion y *Three Stooges* mi roedden nhw'n mwynhau awr neu ddwy ar y cwrs golff.

Ar y cyfan, atgofion digon hapus sydd gen i o'r cyfnod yma. Yn ôl y sôn roeddwn wedi magu acen Swydd Gaerhirfryn eitha cryf, a fy mhleser mawr oedd helpu'r dyn llefrith wrth iddo deithio o gwmpas y strydoedd gyda'i geffyl a chart.

Atgof arall o Orrell sydd gen i ydi gweld milwyr Americanaidd yn gorymdeithio drwy'r dref a ni'r plant yn gweiddi arnynt 'Any gum, chum?' cyn iddynt daflu pacedi o gwm cnoi atom.

Drwy gydol yr amser yma mi roedd fy nhad yn awchu am symud i lonyddwch a heddwch gogledd Cymru, ac yn ffodus mi ddaeth cyfle iddo gael swydd gyda'r banc ym Mhwllheli. Fe symudodd fy nhad yn syth i'r dref ac fe aethom ni i aros gyda modryb yn Rhuthun ac yna i dŷ fy nhaid Gruffydd Robert Griffith yng Nghaernarfon. Roedd hwn yn ddyn busnes yn Lerpwl, yn wreiddiol o Glynnog, ac wedi prynu 'The Anchorage', tŷ Fictorianaidd ar lannau'r Fenai, fel tŷ haf.

Yn anffodus wnes i erioed ei gyfarfod gan iddo farw naw mlynedd cyn i mi gael fy ngeni a dim ond ei wraig weddw Margaret a modryb oedd yn byw yn y tŷ. Yn fuan wedyn clywsom fod fy nhad wedi rhentu fflat llawr cyntaf yn Embankment Road, Pwllheli a fyddai'n addas i ni fel teulu tra'n aros am rywbeth mwy parhaol.

Cyn hir clywsom ei fod wedi dod o hyd i'r cartref delfrydol, tŷ semi 'Viewlands' yn agos i'r twyni tywod ac o fewn tafliad carreg i'r prom. Dyma fu cartref y teulu hyd at 1987 pan fu farw fy rhieni o fewn ychydig fisoedd i'w gilydd. Dros y blynyddoedd dwi wedi clywed sawl un yn dweud mai'r tri pheth pwysicaf tra'n chwilio am dŷ yw safle, safle a safle! Wel, i blentyn ifanc mi roedd y safle yma'n berffaith. Mi roedd y tŷ gyferbyn â thraeth godidog, a'r môr yn glir fel grisial. Doedd dim angen gardd oherwydd roedd yr ardal rhwng traeth y De a'r West End heb ei ddatblygu o gwbwl ac yn gymysgedd lliwgar o dwyni tywod eithin a mieri. Ble gwell i hogyn ifanc a'i gi ffyddlon Paddy i chwilio am antur!

Yn fuan ar ôl symud i Bwllheli mi ddechreuais yn Ysgol Gynradd Troed yr Allt. Y prifathro oedd Mr Weldon Hughes, gŵr oedd yn credu'n gryf mewn disgyblaeth, a disgyblaeth lem hefyd! Dwi'n ei gofio yn rhy dda yn cerdded o gwmpas yr ysgol gyda gwialen yn ei law ac yn barod iawn i'w defnyddio.

Ar un achlysur mi gafodd y dosbarth cyfan eu cosbi gyda gwialen ar y llaw. Mi roedd John Eric Williams (a ddaeth yn bennaeth Glan-llyn) a Peter Jones (a ddaeth yn *golf pro* yn Abersoch) yn methu stopio chwerthin. Roedd yr athrawes Miss Owen wedi gofyn i John Eric ddarllen darn o farddoniaeth gan Sir Walter Scott, 'O! Young Lochinvar is come out of the west', ond doedd o ddim yn gallu stopio chwerthin! Mynnodd Miss Owen wybod pam. Y rheswm oedd fod Peter wedi sibrwd yn ei glust, 'Young Mochyn bach is come out of his vest'! Dyma ni i gyd fel dosbarth yn dechrau chwerthin – roedd Miss Owen yn gandryll ac roedd rhaid i ni i gyd giwio i fyny gyda'n dwylo allan yn barod am ein cosb.

Mae'n deg gofyn yn y fan hyn pam ein bod ni, blant Pwllheli, yn dysgu barddoniaeth drwy gyfrwng y Saesneg – ond rhaid cofio nad oedd hanner y disgyblion yn gallu siarad Cymraeg gyda nifer helaeth yn dod o deuluoedd oedd yn yr ardal oherwydd y rhyfel. Roedd nifer hefyd yn blant i Bwyliaid oedd yn aros yng Ngwersyll Penrhos, rhwng Pwllheli a Llanbedrog.

Roedd yr un peth i ryw raddau yn digwydd yn yr Ysgol Ramadeg. Yr unig siop a oedd yn gwerthu gwisg ysgol ym Mhwllheli oedd Bradleys yn y Stryd Fawr. Dwi'n cofio fy mam yn cael y dewis o'r llythrennau 'PGS' (Pwllheli Grammar School) neu 'YRP' (Ysgol Ramadeg Pwllheli) i fynd ar y bathodyn *blazer*. 'YRP' oedd y dewis, ond cefais fy atgoffa yn fuan iawn gan y disgyblion Saesneg fod 'YRP' yn golygu Yellow Rat Poison!

Roedd lleoliad yr ysgol yn berffaith, gyda golygfeydd godidog o fynyddoedd Eryri a Bae Ceredigion. Gyda dim ond tri chant a hanner o ddisgyblion roedd hi'n uned glòs gyda disgyblion naill ai yn dod o'r dref neu o bentrefi cyfagos.

Ymhlith yr athrawon roedd yr awdur Emyr Humphreys, y cerddor Jack Newman, yr hanesydd T.M. Bassett ac Elis Gwyn, yr artist a brawd y dramodydd Wil Sam. Roeddwn wastad wedi bod yn blentyn oedd wrth ei fodd yn arlunio neu'n creu dŵdls; roedd o'n rhywbeth greddfol ac yn sicr yn rhywbeth nad oeddwn yn ei gymryd o ddifri o gwbwl.

Agwedd fy rhieni oedd 'Rhowch bapur a phensil iddo fo i'w gadw fo'n dawel'.

Pan deimlais fod rhaid datblygu'r sgil sylfaenol oedd gen i, doedd neb o gwmpas i gynnig unrhyw gyngor. Yn ddiarwybod i mi penderfynodd fy mam fynd i'r ysgol i gael gair gyda'r prifathro a chwyno nad oedd yr athro celf yn dangos unrhyw ddiddordeb yn ei mab. Ymateb Elis Gwyn oedd nad oeddwn yn arlunio unrhyw beth heblaw cartŵns a chymeriadau o'r comics, ond y byddai'n gweld sut y gallai helpu. Dyna yn union beth ddigwyddodd, fe gyflwynodd fi i waith artistiaid cyfoes ac mi roedd yn hollol gefnogol ym mhopeth roeddwn yn ei wneud. Roeddwn wedi ymgolli yn y pwnc ac yn treulio pob munud y gallwn yn ymarfer ac yn trafod gwahanol ddulliau o arlunio. Dyma oedd fy mywyd ac mae'r testun yn dal i 'nghyfareddu gymaint heddiw ag yr oedd nôl yn nosbarth Elis Gwyn ... mawr yw fy nyled!

Fel dwi wedi crybwyll, 'nes i erioed gyfarfod fy nhaid, G.R. Griffith, gŵr busnes yn Lerpwl, tad i chwech o ferched ac ysgolhaig gyda chariad dwfn at ddramâu Shakespeare.

Roedd hefyd yn artist amatur hynod o fedrus. Mae ei bortread o'r gwleidydd William Ewart Gladstone yn y Llyfrgell Genedlaethol ac mae nifer o'i luniau eraill ar waliau aelodau'r teulu. Cafodd ei waith ei arddangos hefyd yn Oriel Walker, Lerpwl. Dwi'n ffodus iawn i gael yn fy meddiant nifer o frasluniau a wnaeth o'i dad, a oedd yn saer yn Nghlynnog, a'i fam, Jane Roberts Pentre Uchaf. Dwi wedi meddwl yn aml beth fyddai o yn ei feddwl o 'ngwaith i. Rhyfedd o beth fod gan y ddau ohonom yr un angerdd i beintio portreadau.

Mae harbwr Pwllheli a'i gychod wastad wedi fy swyno.
Rydw i wedi'i beintio sawl gwaith dros y blynyddoedd ac
mewn gwahanol ddulliau. Dyma'r harbwr ar ddiwrnod
digyffro, tawel o haf ym 1972.

Roedd Pwllheli yn y pedwardegau yn dref mewn limbo gyda mesurau cyni yn dal mewn bodolaeth. Dwi'n cofio'n iawn y goleuadau nwy ar hyd rhai o'r strydoedd. Mi roedd yna deimlad llwm ar hyd y lle a thlodi i'w weld yn amlwg mewn rhai ardaloedd. Roedd y siopau'n dywyll a dogni mewn grym. Ar hyd y prom roedd y weiren bigog oedd wedi cael ei gosod ar hyd y twyni tywod i amddiffyn y dre rhag goresgyniad yn dal i'w gweld yn glir.

Un lle y byddwn yn mynd iddo'n rheolaidd oedd hen chwarel segur Carreg yr Imbill, lle'r oedd gweddillion hen

Roeddwn ar y ffordd i wneud ychydig o fraslunio yn Nant Gwrtheyrn ym 1978. Penderfynais aros am ychydig yn Llithfaen i beintio'r darlun yma. Mae'r olygfa mor nodweddiadol o Lŷn gyda'r tai wedi eu gwasgaru ar hyd y wlad a'r capel yn ganolbwynt. Roeddwn wedi fy hudo gyda'r ffordd roedd y cymylau yn symud mor gyflym gan fwrw eu cysgodion ar y caeau heulog.

awyren fôr yn gorwedd. I blentyn anturus roedd yn faes chwara delfrydol, ac roeddwn wastad yn teimlo fod yna swyn rhyfeddol yn perthyn i'r lle.

Un o uchafbwyntiau'r wythnos oedd amser cinio dydd Sadwrn pryd y byddai fan 'pysgod a sglods' yn cyrraedd Morfa Garreg, stad tai cyngor a *pre-fab* yn y dre. Glo oedd yn tanio'r fan, ac fel 'sach chi'n ddisgwyl, mi roedd croeso cynnes a brwdfrydig iddi yn wythnosol.

Er hyn, petawn i'n gorfod dewis YR uchafbwynt, yna heb unrhyw amheuaeth y dewis fyddai y sinema. Roedden ni'n ffodus i gael dwy sinema ym Mhwllheli, y Palladium a Neuadd y Dre. Mi roedd y Palladium wedi cael ei adeiladu'n bwrpasol i fod yn sinema gyda chaffi a siop melysion, 'The Chocolate Box'. Ar y llaw arall, braidd yn llwm oedd Neuadd y Dre ac yn tueddu i ddangos hen ffilmiau.

I mi, y prynhawn Sadwrn perffaith fydde pryd o *fish* a *chips*, ac yna awr neu ddwy yn y Palladium yn dilyn hynt a helynt fy arwr, y cowboi Hopalong Cassidy.

Roeddwn hefyd yn ffan mawr o wrando ar y radio ac wrth fy modd gyda rhaglenni *Have a Go* gyda Wilfred Pickles, *Down Your Way, Workers Playtime* a fy ffefryn – *Dick Barton: Special Agent*. Mi fyddwn yn gwrando ar Dick Barton yng nghwmni cymydog a ffrind, Tony Clemo, a ddaeth yn ddiweddarach yn gyfarwyddwr Clwb Pêl-droed Caerdydd a pherchennog Red Dragon Travel.

Mae gwrando ar y radio yn parhau i fod yn bleser llwyr i mi. Mae cael y radio ymlaen tra'n gweithio yn y stiwdio bron wedi dod yn angenrheidiol.

Pennod 2

Butlin's a'r Capel

Roedd fy mam yn berson hynod o gymdeithasol a thrwy ei chysylltiad â'r 'cylch *bridge*' daeth yn ffrindiau gyda nifer o bobol yn yr ardal. Un ohonynt oedd Mrs Bond. Roedd hi'n briod â Major Bond a oedd yn rhedeg Gwersyll Gwyliau Butlin's ym Mhenychain. Roeddent yn byw yn un o dai Billy Butlin, sef Broom Hall ar gyrion y dre: plasty mawreddog mewn aceri o dir, mor fawr, a dweud y gwir, nes bod y perchennog wedi gallu adeiladu stribed awyr er mwyn glanio'i awyren. Roedd hyn yn ei alluogi i deithio o un gwersyll i'r llall; Skegness yn y bore, Pwllheli yn y prynhawn!

Mi roedd y gwersylloedd gwyliau yn eu hanterth yn ystod y pumdegau a'r chwedegau a Butlin's yn arwain yn y maes. Roedd cyfoeth y perchennog i'w weld yn amlwg yn Broom Hall. Dwi'n cofio un adeg cael gwahoddiad gyda fy chwaer i barti pen-blwydd Cherie, merch Billy Butlin. Parti annhebyg iawn i unrhyw un roeddwn wedi bod ynddo o'r blaen – doedd dim arian wedi'i arbed o gwbwl i sicrhau bod Cherie yn mwynhau. Cawsom wersi dawnsio ar y lawnt, cwis cerddorol wedi'i drefnu gan 'Uncle Monty', sef yr arweinydd band poblogaidd, Mantovani. Yn amlwg iawn yn y dathliadau roedd Anti Vera, neb llai na Vera Lynn ei hun, a phwy well i ganu penblwydd hapus! Pan ddaeth hi'n amser i Cherie agor ei hanrhegion mi roedden ni i gyd yn sefyll gyda'n cegau ar agor, yn enwedig pan ddaeth Uncle Monty i mewn i'r stafell gyda'r gramoffon HMV diweddaraf. Peiriant mawr coch, a dwi'n cofio meddwl gymaint y buaswn i wedi hoffi'r fath rodd.

Roedd Major a Mrs Bond yn hynod o garedig a hael, ac yn aml ar nos Sul mi fyddem fel teulu yn cael gwahoddiad i fynd i'r Gaiety Theatre yn y gwersyll i weld sioe, ac yn y seti gorau hefyd. Gallwch ddychmygu'r wefr a gefais yn un o'r sioeau yma pan gerddodd arwr o fy mhlentyndod ar y llwyfan yn ei wisg cowboi, neb llai na'r actor William Boyd, ond fel roeddwn i yn ei nabod, Hopalong Cassidy. Hyd yn oed heddiw dwi'n dal i gael rhyw wefr wrth gofio'r achlysur. Pwy fase'n meddwl ... Hopalong Cassidy ym Mhwllheli!

Roedd fy rhieni'n gapelwyr selog yn Lerpwl, a'u rhieni nhw yn Fethodistiaid Cymraeg i'r carn. Fe ddewison nhw ymaelodi yng nghapel mawreddog Penmount ar ôl symud i Bwllheli. Roedden ni i gyd yn mynd fel teulu yn selog bob bore Sul ar ein beics, ac yn amlach na pheidio yn cyrraedd yn hwyr. Roedd ein sêt ni i'r chwith o'r sêt fawr; golygai hyn fod gennym olwg berffaith ar y gynulleidfa a'r blaenoriaid oedd yn aml yn pendwmpian yn ystod y bregeth. I 'nghadw i'n dawel yn ystod y gwasanaeth mi fydda Mam yn rhoi darnau o bapur a phensil i mi arlunio, a phan doedd dim papur ar ôl mae gen i gywilydd dweud y byddwn yn parhau i fraslunio'r blaenoriaid ar dudalen flaen y llyfr emynau. Uchafbwynt y gwasanaeth i mi oedd y datganiad ar yr organ yn ystod y casgliad. Un o'r organyddion oedd Annie Florrie Williams ac roeddwn eisiau i'r casgliad fynd ymlaen ac ymlaen, gymaint roeddwn yn mwynhau'r gerddoriaeth. Yn y sêt tu ôl i ni eisteddai Bet a Netta Owen, dwy chwaer oedd wastad yn gwisgo hetiau llydan crand. Mae'n rhaid eu bod wedi creu argraff arnaf oherwydd dwi hefyd yn cofio mai eu cyfraniad i'r casgliad bob wythnos oedd darn tair ceiniog arian.

Yr hunllef i mi oedd dweud adnod yn y sêt fawr, ac roeddwn yn gwrthod dysgu un newydd. O ganlyniad i hyn 'Duw cariad yw' oedd hi bob wythnos. Un Sul am ryw reswm mi wnaeth y gynulleidfa ddechrau chwerthin, ond mi wnaeth y Parchedig Morgan Griffith fy amddiffyn. Fe drodd at y gynulleidfa a dweud, 'Am adnod wych!' Aeth ymlaen i ymhelaethu am arwyddocâd a phwysigrwydd yr adnod yn y ffydd Gristnogol. Roedd Morgan Griffith wedi fy arbed.

Yn y prynhawn, ar ôl gwasanaeth llawn yn Penmount, mi fyddai fy chwaer a mi yn cael ein hanfon i'r Ysgol Sul yn Capel Bach a oedd yn llythrennol dros y ffordd i'n tŷ ni. Yr arolygwr oedd Mr Richards, prifathro ysgol Pen-y-groes, gyda Mrs Pratt Roberts yn chwarae'r hen harmoniwm. Ychydig oedd yn mynychu'r ysgol Sul, ond dyna lle 'nes i ddysgu'r salmau drwy ailadrodd ac ailadrodd. Fy athro dosbarth oedd Mr Roberts, hen ŵr annwyl a oedd wastad yn dweud wrtha i, 'David – 'newch chi byth anghofio eich salmau'. Mi roedd yn hollol iawn, oherwydd dwi'n dal i allu eu hadrodd. Ei lysenw oedd 'Robaits Stwmps', oherwydd mi fyddai'n troedio strydoedd Pwllheli yn chwilio am stwmps sigaréts a oedd wedi'u taflu i ffwrdd. Mi fyddai'n cymryd y tybaco a'i ddefnyddio yn ei bibell – arwydd arall o galedi'r cyfnod.

Un o weinidogion enwocaf a mwya carismatig y cyfnod oedd Tom Nefyn a bregethai gydag angerdd efengylaidd. Pan fyddai'n pregethu yn Salem mi fyddai'r capel yn llawn ac mi fyddai wastad yn mynnu ei fod hefyd yn ymweld â Capel Bach yn y prynhawn. Roedd ei gynulleidfa yma yn llawer llai a gallaf ei gofio yn dweud, 'Mary a David – dewch yma i eistedd efo Tom Nefyn,' ac yna'n sgwrsio'n ddifyr efo'r ddau ohonom. Hyd yn oed fel plant roeddem yn gwybod ein bod ym mhresenoldeb rhywun go arbennig.

*Ar y ffordd i weld y Punch a Judy yn Llandudno
yn llaw fy nhad.*

Fy chwaer yn gwylio'r sioe.

Pennod 3

Golff

Roedd fy rhieni'n hoff iawn o gymdeithasu. Roeddent i weld yn nabod pawb ac yn cymryd rhan ym mhopeth. Fy nhad yn berson theatraidd, yn ddoniol, gyda synnwyr digrifwch cyflym, a fy mam ar y llaw arall ychydig yn fwy ysgolheigaidd. Y ddau yn mwynhau cael hwyl ac yn byw bywyd i'r eithaf a wastad yn barod i helpu i godi arian i unrhyw achos lleol.

Mi roeddent wrth eu bodd yn cystadlu mewn eisteddfodau. Roedd fy nhad yn edmygydd mawr o'r tenor David Lloyd, yn canu yn y côr, yn actio ac yn sgwennu limrigau a barddoniaeth. Mi welwyd ochr theatraidd fy nhad ynof pan oeddwn rhyw ddeg oed ac wedi mynd i weld sioe *Punch & Judy* Professor Codman yn Llandudno. Wrth ddychwelyd adre mi benderfynais fod angen rhywbeth tebyg ym Mhwllheli. Felly dyma osod sioe 'Punch & Judy' ar y tywod gyferbyn â 'nhŷ gyda fy nghynorthwyydd Paddy y ci.

Ym misoedd y gaeaf mi drawsnewidiais y stafell chwarae yn sinema i fy ffrindiau. *Magic Lantern* i ddechrau, ac yna projector yn dangos ffilmiau cowbois a Popeye heb sain. Un o'r selogion ffyddlon yn fy 'sinema' oedd Endaf Emlyn.

Mi roedd fy rhieni wrth eu bodd yn chware golff ac oherwydd hyn fe'm hanogwyd innau i ddechrau hefyd.

Roeddwn yn wyth oed ar y pryd ac mi roedd y gêm yn gweddu'n berffaith i mi gan nad oeddwn erioed wedi bod yn chwaraewr tîm. Cefais wersi hyfforddiant gan y *pro* Jack Bowman, gŵr a chanddo acen Swydd Efrog gryf. Dwi'n cofio gofyn iddo unwaith os oeddwn yn sefyll yn iawn gyda'r *grip* cywir a be dwi'n 'wneud nesaf – atebodd gyda bloedd, 'Just bloody hit it, lad!'

Cyn hir roeddwn yn chwarae'n rheolaidd, yn aelod o dîm golff Pwllheli ac yn cystadlu ar gyrsiau golff Abersoch, Nefyn a Harlech. Roeddwn hefyd yn cymryd rhan mewn cystadlaethau bechgyn ysgol ym Maesdu, Llandudno. Erbyn i mi gyrraedd dwy ar bymtheg oed roeddwn wedi llwyddo i gael fy handicap i lawr i ddeg.

Yn aml mi fyddwn yn chwarae golff ar ben fy hun – dyma un o fanteision mawr y gêm – ac o bryd i'w gilydd mi fyddai chwaraewyr unigol eraill yn gofyn os byddai hi'n iawn i ymuno efo fi. Un o'r rhain oedd y Parch O.J. Gruffydd, gŵr â dim ond un fraich, a brawd i Morgan Gruffydd gweinidog Penmount. Un arall oedd y cadfridog Dic Williams, gŵr un goes a brawd Kyffin Williams.

Dwi'n cofio'n iawn un diwrnod chwarae fy ail ergyd ar y trydydd twll fel yr oedd bryd hynny, a bod o fewn modfeddi i gael fy nharo gan bêl. Y peth nesaf oedd gweld hen ŵr rhyfedd yr olwg yn camu tuag ataf. Roedd yn gwisgo shorts, het a oedd wedi gweld dyddiau gwell a sbectol gyda gwydrau a oedd yn fwy trwchus na gwaelod potel lefrith. Gofynnodd imi os oeddwn wedi gweld ei bêl, gan fod ganddo gataracts a phrin yn gallu gweld. Fe ymunodd gyda mi i chwarae gweddill y cwrs ac mi fyddwn yn ei helpu i ddod o hyd i'w bêl golff ar ôl iddo'i tharo. Enw'r gŵr bonheddig oedd Mr Sherwood, a chyn hir darganfyddais pwy ydoedd. Mi roedd Sidney Sherwood yn berffeithydd. Roedd ei gar Alvis arian wastad yn edrych yn newydd sbon, yn cael y gofal gorau posib gan fecanics yn Coventry.

Gyda Sidney Sherwood ar ei gwch

Roedd yr un peth yn wir am ei gwch *The Esk* a oedd yn cael ei chadw ym Mhwllheli.

Roedd wedi gwneud ei arian yn cynllunio lampiau olew ac mi roedd ganddo ffatri enfawr yn Birmingham a oedd yn dwyn ei enw. Er ei fod yn rhoi'r argraff o fod yn rhywun braidd yn ecsentrig, o dan yr wyneb mi roedd yn berson a oedd yn gwybod ac yn cael yr hyn yr oedd ei eisiau. Mi ddeuthum i'w adnabod yn eitha da ac ym misoedd yr haf mi fyddai'n aml yn fy ngwahodd gyda fy ffrindiau am drip ar ei gwch.

Dwi'n cofio meddwl ar y pryd y byddai Sidney Sherwood gyda'i holl gysylltiadau yn berson delfrydol i ysgrifennu tysteb imi. Dyna'n union beth ddigwyddodd ryw flwyddyn neu ddwy yn ddiweddarach, a chefais i mo fy siomi.

Dwi mor falch fy mod wedi cael y cyfle i ddechrau chwarae golff pan oeddwn mor ifanc, a dwi'n dal i chwarae yn rheolaidd. Rhaid dweud, dwi bron yn cael yr un pleser a boddhad o fod ar y cwrs golff ag yr ydw i yn y stiwdio ... bron!

Ysgol Troed-yr-allt, 1949

Y chweched dosbarth yn Ysgol Ramadeg Pwllheli yn 1956.
Mae Barry Thomas yn yr ail res, y pedwerydd o'r dde
ac rwyf innau yn yr un rhes, yr ail o'r dde.

Pennod 4

Haf '55

Er fod gen i ddwy flynedd arall ar ôl fel disgybl yn yr Ysgol Ramadeg, roedd haf 1955 yn drobwynt yn fy mywyd wrth i mi deimlo fod fy nghyfnod fel bachgen ysgol yn dirwyn i ben. Drwy gydol y gwanwyn a dechrau'r haf fe dreuliais y rhan fwyaf o'r amser yn adolygu ar gyfer yr arholiadau Lefel O.

Fe ddechreuodd haf poeth 1955 yn gynnar a dyna lle roeddwn i yn fy ystafell wely i fyny at fy nghlustiau mewn llyfrau a nodiadau adolygu. Roedd gweld pawb arall yn mwynhau eu hunain ar y traeth yn ddigon i ddinistrio unrhyw enaid. Penderfynais unwaith y byddai'r arholiadau drosodd fy mod yn mynd i wneud y mwyaf o'r cyfnod hir cyn dychwelyd i'r ysgol a'r chweched dosbarth.

Y cwestiwn mawr oedd, beth a wnawn gyda deg wythnos o wyliau? Drwy ryw ryfedd wyrth, un diwrnod tra'n cerdded ar hyd un o strydoedd Pwllheli mi wnes i daro mewn i Barry Thomas, cyd-ddisgybl a oedd, fel fi, newydd orffen ei arholiadau Lefel O. Roedd Barry wastad wedi bod ar flaen y gad ac yn berson hynod o hyderus. Mi roeddwn i yn un ar bymtheg oed ond mewn sawl ffordd yn debycach i bedair ar ddeg ac yn dal i ddarllen llyfrau Enid Blyton am anturiaethau'r *Famous Five*! Ar y llaw arall mi roedd Barry yn un ar bymtheg oed ond yn debycach i rywun deunaw neu hyd yn oed un ar hugain oed! Roedd ei dad yn brifathro a hefyd yn arweinydd y Scouts lleol, ac mi roedd yn amlwg fod sgiliau'r Scouts a'r gallu i fod yn hunangynhaliol yn rhan o DNA Barry. Mi roedd o wastad yn gwisgo'n ffasiynol ac yn trendi. Ei ewyrth Huw oedd yn rhedeg yr adran hetiau merched yn siop y Nelson yng Nghaernarfon, a fo wnaeth gynllunio gwisg ysgol Barry. Roedd siaced Barry yn wyrdd gwahanol iawn i'r 'bottle green' safonol roedd y gweddill ohonom yn ei wisgo. Roedd o wastad yn creu argraff ac yn fachgen gwahanol i mi, a oedd yn dipyn o freuddwydiwr. Mi roedd Barry yn hollol hyderus, yn arweinydd naturiol ac yn gredwr cryf fod bywyd i'w fyw i'r eithaf.

Ar ôl sgwrsio am ychydig funudau gofynnodd Barry i mi 'Wyt ti'n ffansïo bodio i Iwerddon?' Cytunais, bron iawn cyn i mi sylweddoli beth roeddwn wedi'i ddweud. Sylweddolais mai dyma fyddai'r tro cyntaf i mi ddianc o reolaeth fy rhieni. Felly, yn gwisgo crys T, pâr o shorts a sach deithio ar fy nghefn, dyma ymlwybro i gyfeiriad Ffordd Caernarfon a bodio'r lifft cyntaf ar ein hantur fawr.

Ymhen ychydig oriau cyrhaeddom Gaergybi, mewn digon o amser i ddal y fferi nos drosodd i Iwerddon. Wrth gerdded ar hyd strydoedd Caergybi fe welsom sinema weddol drist yr olwg yn hysbysebu'r ffilm *Bad Day at Black Rock*. Felly dyma benderfynu treulio ychydig oriau yn gwylio ffilm sydd erbyn hyn yn cael ei hystyried yn dipyn o glasur, gyda chyfarwyddo medrus John Sturges a pherfformiad hynod o bwerus Spencer Tracy. I goroni'r cyfan mi roedd y ffilm mewn Cinemascope!

Dechreuad didrafferth a hapus, ond yn anffodus alla i ddim dweud yr un peth am y fordaith ar draws Môr Iwerddon. Roedd pob ymdrech i gysgu yn y bar yn amhosib a doedd y ffaith fod Gwyddel meddw yn canu 'Have you ever been across the sea to Ireland' yr holl ffordd i harbwr Dun Laoghaire yn sicr ddim yn helpu!

Ar ôl cyrraedd Dulyn yn oriau mân y bore, y peth cyntaf i'w wneud oedd ymlwybro i'r hostel ieuenctid yn Sgwâr Mountjoy. Ar yr olwg gyntaf roedd yr adeilad yn edrych yn debycach i garchar, ac nid dyna lle roedd y gymhariaeth yn gorffen. Wrth gerdded i mewn i'r hostel mi roedd y warden yn ein disgwyl. Fe'n cyfarchodd, nid gyda chroeso Gwyddelig, ond drwy sgrechian yr holl reolau. Ar ôl gorffen ei araith dyma fo'n estyn bwced a mop ac o fewn chwinciad dyna lle roedd Barry a finnau yn sgwrio'r lloriau! Sylweddolais yn fuan iawn ein bod yn mynd i dalu'n ddrud am ein harhosiad, efallai nad yn ariannol, ond yn sicr mewn ffyrdd eraill. Er hyn, roeddwn yn fodlon iawn ac yn sylweddoli fod y profiad yma'n mynd i roi cyfle i mi ddod i adnabod nid yn unig Dulyn ac Iwerddon, ond hefyd y Gwyddelod.

Yn ystod y dyddiau nesaf fe gerddom o gwmpas strydoedd Dulyn am oriau yn ymweld â'r holl atyniadau twristaidd. Roeddwn wastad wedi meddwl am Iwerddon fel gwlad ddymunol ond braidd yn hen-ffasiwn, ond sylweddolais yn gyflym iawn fod Dulyn yn sicr ar y blaen i Bwllheli. Un o'r pethau greodd gryn argraff arnaf oedd y ffaith fod y caffis yn wahanol iawn gan fod gan bob bwrdd ei *jukebox* personol ei hun a oedd wedi ei gysylltu â'r *jukebox* mawr yn y gornel. Roedd y demtasiwn i chwarae fy hoff gân ar y pryd, 'Cool Water' gan Frankie Lane, drosodd a throsodd yn ormod i mi!

Ar ôl tridiau o gerdded, nosweithiau di-gwsg a'n pocedi erbyn hyn yn wag, daethom i'r penderfyniad nad oedd unman yn debyg i gartref. Roedd y ddau ohonom yn fwy na pharod i ddal y fferi cyntaf yn ôl i Gymru!

Fel y soniais yn gynharach, mi roedd Barry yn berson o flaen ei amser, wastad yn gwisgo'r ffasiwn diweddaraf ac yn hoff o smocio pibell. Dwi'n ei gofio yn iawn yn fy nghyflwyno i bleserau cymdeithasu nos Sadwrn yng

Nghaernarfon. Ar achlysuron eraill mi fyddai'r ddau ohonom yn gwisgo ein siwts a'n *cravats* (ffasiynol iawn ym 1955) ac yn treulio'r noson yng ngwersyll Butlin's yn ehangu ein profiadau! Fe ddysgais lawer oddi wrth Barry, ac i raddau helaeth fo oedd yn gyfrifol am wneud haf '55 yn un o'r hafau mwyaf pleserus dwi'n gallu ei gofio.

Heb amheuaeth, uchafbwynt haf 1955 i drigolion Pwllheli oedd ymweliad yr Eisteddfod Genedlaethol â'r dref. Fy unig gysylltiad i gyda'r brifwyl oedd fel gwerthwr hufen iâ Walls ar y Maes.

Dwi'n cofio un diwrnod sefyll ar y Maes gyda fy hambwrdd o hufen iâ a gweld ffigwr cyfarwydd yn cerdded yn araf tuag ataf. Miss Owen, yr athrawes yn Ysgol Troed-yr-allt a fyddai'n gwneud i mi grynu yn fy 'sgidiau bob tro y byddai hi'n agor ei cheg; yr athrawes a oedd wedi cosbi'r dosbarth cyfan gyda slap ar ein dwylo am chwerthin yn ystod y wers farddoniaeth. Rŵan, roedd hi'n addfwyn, diymhongar a thawel yn prynu ei hufen iâ. Rhaid cyfadde, wrth iddi droi a diflannu i'r pellter roedd gen i wên ar fy ngwyneb, ond nid gwên hiraethus!

Mi roedd yr Eisteddfod wedi gofyn i drigolion lleol a oedden nhw'n fodlon cynnig gwely a brecwast i ymwelwyr tramor. Fe benderfynodd fy mam a nhad gynnig yr ystafell sbâr yn Viewlands i'r pwyllgor gwaith.

Manteisiwyd ar y cynnig gan Mrs Loree Dew Blucher o Efrog Newydd a oedd yn awyddus i 'brofi' Cymru! Fe wnaeth hi ddychwelyd un noson ar ôl treulio ychydig oriau yn un o dafarndai'r dref, tafarn nad oedd yn enwog am ei moethusrwydd. Mi roedd hi wedi gofyn i'r selogion ym mar y dynion a fydden nhw'n fodlon canu Rhyfelgan Gwŷr Harlech. Fe gytunon nhw i'r cais gan ganu yn eu lleisiau meddw gorau. Ar ddiwedd y perfformiad fe drodd hi atyn nhw a'u llongyfarch yn wresog a gofyn a gâi hi brynu diod iddyn nhw i ddangos ei gwerthfawrogiad. Yr hyn a ddilynodd y cynnig hael yma oedd sgarmes wrth y bar a phob un yn gofyn am yr un peth – wisgi dwbwl!

Wedi llwyddo i basio fy arholiadau Lefel O roedd hi'n amser i mi ddychwelyd i'r ysgol fel swyddog yn fy mlwyddyn gyntaf yn y chweched dosbarth. Y peth cyntaf oedd yn rhaid ei wneud oedd dewis pa bynciau yr oeddwn am eu hastudio. Penderfynais heb unrhyw amheuaeth fy mod eisiau dilyn gyrfa ym myd celf. Mi roedd yr athro celf, Elis Gwyn, yn hynod o gefnogol a chyn hir awgrymodd nifer o golegau celf o gwmpas Prydain y baswn yn gallu rhoi cynnig arnynt.

Pennod 5

Y Slade

Ein meddyg teulu ym Mhwllheli oedd Dr Idris Jones a oedd hefyd yn ffrind da i'r teulu. Mi roedd Dr Jones yn wahanol iawn i unrhyw feddyg dwi wedi ei nabod – yn gyrru car Jaguar *S type* crand ac yn ysmygu sigârs mawr tew. Roedd yn wybodus am faterion y byd a hefyd yn hynod o weithgar o fewn ei gymdeithas. Mi roedd hefyd yn gasglwr celf gain, wastad yn prynu ei luniau o galeri Frost & Reed ar Bond Street, Llundain. Fo oedd y person wnaeth awgrymu Ysgol Gelf y Slade, Prifysgol Llundain.

Mi roedd Elis Gwyn yn amheus o gyngor y doctor ac yn teimlo mai disgyblion o ysgolion bonedd fel Eton neu Harrow fyddai'n astudio yn y Slade. Ta waeth am hyn, penderfynais baratoi portffolio o 'ngwaith a'i anfon i'r Slade. Er mawr syndod i mi ac, mi dybiwn, i Elis Gwyn hefyd, derbyniais lythyr o fewn ychydig ddyddiau yn fy ngwahodd i Lundain am gyfweliad.

Teithiais i fyny ar y trên o Fangor i Euston gan aros noson yng ngwesty'r Strand Palace. Mi roedd y cyfweliad am ddau o'r gloch y pnawn ac ar y panel roedd William Coldstream, Claude Rogers, William Townsend a Lawrence Gowing. Roedd hi'n ymddangos i mi fod y panel wedi cael cinio hynod o bleserus oherwydd mi roedden nhw i gyd mewn hwyliau arbennig o dda! Y sylw cyntaf a gefais oedd 'So you're from Wales? How about a song!'

Hunanbortread yn 1960

Wrth ddychwelyd ar y trên i Bwllheli, roeddwn i'n teimlo fod pethau wedi mynd yn eitha ffafriol ond eto heb fod yn or-hyderus gan gofio fod y gystadleuaeth am le yn y Slade yn eithriadol o gryf. Ychydig wythnosau yn ddiweddarach fe gyrhaeddodd llythyr swyddogol yn cynnig lle i mi. Roedd pawb wrth eu bodd.

Mi roedd Elis Gwyn a'r prifathro, E.R. Hughes, ar ben eu digon, yn fy llongyfarch yn y gwasanaeth boreuol ac yn dweud fy mod wedi dod â chlod i'r ysgol gan mai dyma oedd y tro cyntaf i hyn ddigwydd i Ysgol Ramadeg Pwllheli. Yng nghanol y dathlu a'r canmol atgoffais fy hun fod popeth yn ddibynnol ar i mi lwyddo yn yr arholiadau Lefel A, felly roedd llawer o waith caled o'm blaen.

Yn ystod y cyfnod yma mi wnaeth Elis Gwyn, a oedd yn y bôn yn ddyn tawel a phreifat, ddod yn fwy agored a chyfeillgar.

Un diwrnod roedd am fynd i weld ei ffrind, y dramodydd John Gwilym Jones, oedd yn byw yn y Groeslon ychydig filltiroedd i ffwrdd. Cefais wahoddiad i fynd gyda fo yn y car ac awgrymodd fy mod yn dod â llyfr braslunio gyda fi a'n bod yn treulio ychydig o amser yng Nglynllifon.

Wrth i ni sgwrsio yn y car roedd hi'n amlwg ei fod yn teimlo yn angerddol dros yr iaith, ac nad oedd yn mynd i brynu teledu nes bod gan Gymru ei sianel ei hun. Awgrymais yn ddireidus os oedd yn teimlo mor gryf ynglŷn â'r iaith, pam felly ei fod yn sillafu ei enw gyda dwy 'l' yn hytrach na'r ffordd Gymraeg gyda dim ond un. Cefais fy rhyfeddu pan newidiodd y ffordd yr oedd yn sillafu ei enw yn y fan a'r lle, ac Elis gydag un 'l' fu o o'r diwrnod yna!

Ym mis Hydref 1957 mi roeddwn ar fin dechrau astudio yn y Slade am gyfnod o bedair blynedd. Dwi'n cofio'n iawn fy rhieni yn fy nghludo yn eu Morris Minor gwyrdd yr holl ffordd lawr i Lundain.

O safbwynt llety, trefnwyd i mi aros yn 26 Huddlestone Rd, Tufnell Park. Am gost o dair gini (£3.15) yr wythnos, roedd y llety hefyd yn cynnwys brecwast a phryd gyda'r hwyr. Mi wnes i setlo yn dda gyda'r myfyrwyr eraill, y rhan fwyaf ohonynt yn dod o deuluoedd Cymraeg. Roedd Huw Davies o Lanymddyfri a Richard Thomas (Dici'r Fet) o Aberteifi yn astudio yn y Coleg Milfeddygaeth Brenhinol, Gordon Thomas yn fyfyriwr meddygol, John Rees yn astudio technoleg bwyd a Trefor Morgan, a oedd wedi dyweddïo â merch Syr Ben Bowen Thomas, yn astudio'r gyfraith.

Ar y cychwyn, gan fy mod yn astudio celf, dwi ddim yn meddwl fod y myfyrwyr eraill yn gwybod yn iawn beth i'w wneud ohonof, ond dwi'n falch o ddweud nad oedd dim angen poeni o gwbwl. Mi ddaethom yn ffrindiau da ac rydan ni'n dal i gadw mewn cysylltiad hyd heddiw.

Roedd Gordon nid yn unig yn chwaraewr rygbi arbennig o dda ond roedd ganddo hefyd ddiddordeb brwd yn y celfyddydau, ac fe lwyddodd i ailgynnau fy niddordeb mewn cerddoriaeth glasurol. Dwi'n cofio cael gwahoddiad ganddo i ymuno efo fo a grŵp o'i ffrindiau o'r coleg meddygol i fynd am bicnic i Kenwood House, Hampstead i weld Syr Adrian Boult yn arwain cyngerdd awyr agored o gerddoriaeth Elgar a Vaughan Williams. Wrth i'r haul fachlud ar noson braf o Fehefin ym 1958 gyda'r gerddoriaeth yn gefndir perffaith roeddwn yn gwybod na faswn byth yn anghofio'r profiad.

Tua'r adeg yma mi wnaeth perchennog y tŷ, Mrs McCleod druan, ddod i'r penderfyniad fod edrych ar ôl criw o fyfyrwyr byrlymus yn ormod iddi. Mi fydde hi wedi bod yn ei 70au ac roedd ei theulu wedi ei pherswadio fod angen iddi gymryd bywyd ychydig yn arafach. Fe ddywedodd wrthom un noson y bydde rhaid i ni ddod o hyd i rywle arall i letya. Sylweddolais fod dyddiau Tufnell

Llaregyb

Park ac ymweliadau â'r sinema yn Holloway Road a cherdded o gwmpas caeau Parliament Hill i gyd y tu ôl i mi.

Roedd y cyfnod yma wedi bod yn hynod o gynhyrchiol i mi yn enwedig tra'n gweithio ar y darlun 'Llaregyb'. Dyna ble roeddwn bron bob nos yn fy stafell wely pitw ar y llawr uchaf yn peintio portreadau o gymeriadau *Under Milk Wood*.

Roeddwn wastad wedi bod yn edmygydd mawr o waith Dylan Thomas, yn prynu llyfrau ar unrhyw beth a phopeth a ysgrifennodd. Roedd fy hen athro celf Elis Gwyn wedi rhoi'r hen fwrdd du o'r ystafell gelf i mi, a pheintiais y gwaith ar hwnnw.

Roeddwn yn digwydd byw yn agos i hen gartref Dylan yn Delancey Street, Camden, a gwelais gynhyrchiad gwych o *Under Milk Wood* gan fyfyrwyr RADA sawl gwaith.

Penderfynais anfon y darlun gorffenedig i Arddangosfa Celf a Chrefft Eisteddfod Castell Nedd, 1958. Roeddwn wrth fy modd pan glywais fod Amgueddfa ac Oriel Casnewydd wedi ei brynu.

Fel mae'n digwydd, ychydig fisoedd yn ôl cefais gais gan gwmni argraffu o'r Eidal am ganiatâd i ddefnyddio'r darlun ar glawr trosiad Eidaleg o *Under Milk Wood*. Anodd credu fod dros drigain mlynedd ers dyddiau Tufnell Park a bod Rosie Probert, y Parch Eli Jenkins a'r cymeriadau eraill yn mynd i gael cynulleidfa newydd!

Rhaid oedd dod o hyd i rywle arall i mi a fy nghyd-denantiaid aros. Mi ddes o hyd i westy'r St Athans Hotel yn Tavistock Place drwy siawns gan ei fod yn agos i'r Slade yn ogystal â choleg drama enwog RADA, lle byddwn yn mynd yn gyson i weld cynyrchiadau. Hefyd roedd siop lyfrau Dillons, y Courtauld Institute a'r Amgueddfa Brydeinig i gyd o fewn tafliad carreg i'r gwesty. Lleoliad delfrydol, ac mi roeddwn wrth fy modd yno.

Dyma fyddai fy nghartref am y tair blynedd nesaf. Y perchnogion oedd Mr a Mrs Ben Evans, yn wreiddiol o gefndir amaethyddol yn Sir Gaerfyrddin. Fe benderfynon nhw yn gall iawn mai'r lle gorau i mi a fy nghyd-fyfyrwyr oedd y llawr uchaf, ymhell oddi wrth y gwesteion eraill a oedd yn digwydd aros yno! Rhaid cyfaddef na fyddai Mr a Mrs Evans a'u dwy ferch Mair ac Anita wedi gallu bod yn fwy croesawgar. Mi roedd y teulu yn aelodau yng nghapel Cymraeg King's Cross, a chofiaf yn iawn Dici Thomas yn fy llusgo yno bob tro roedd 'na Gymanfa Ganu.

Er ein bod i gyd yn ddigon cydwybodol o safbwynt gwaith mi roedd hefyd ddigon o amser i ymlacio, a hynny weithiau mewn ffordd eithaf direidus. Cofiaf yn iawn un achlysur pan awgrymodd Dici Thomas fod tri ohonom yn gwisgo cotiau gwyn doctoriaid gyda stethosgop o gwmpas ein gyddfau a rhedeg ar ei ôl i lawr un o strydoedd prysuraf Llundain gan weiddi, 'Stopiwch o, mae o wedi dianc ac yn hynod o beryglus!' Daeth diweddar y ras pan gamodd gŵr ifanc ffit iawn yr olwg allan o un o'r siopau a'i faglu. Syrthiodd Dici'r Fet mewn tomen ar y pafin! O ran y 'doctoriaid', diflannu wnaethon ni gan adael i Dici wneud yr esboniadau a'r ymddiheuriadau!

Roedd bywyd yn wirioneddol wych yn y gwesty. Mi fyddem yn dechrau'r diwrnod gyda brecwast llawn yng nghwmni'r gwesteion eraill ac yn cael pryd nos yn adeilad undeb y brifysgol a oedd ond ychydig funudau i ffwrdd.

Mae'n anodd disgrifio fy ystafell yn y llety newydd. Y cyfan wna'i ddweud ydi ei bod hi'n dda nad ydw i'n berson clostroffobig! Yn yr un modd roedd hi'n fantais hefyd nad ydw i'n cael problem gydag uchder oherwydd roedd yr ystafell ar y llawr uchaf, bron iawn yn y to!

Yn yr ystafell yma y dechreuais i weithio ar gynfas wyth troedfedd o hyd a oedd yn cynnwys portreadau o'r cymeriadau lleol roeddwn wedi arfer eu gweld ar ddiwrnod marchnad ym Mhwllheli. Penderfynais alw'r llun yn 'Ffair Pen Tymor' ac fe'i dewiswyd i gael ei arddangos yn Eisteddfod Genedlaethol Caerdydd, 1960. Prynwyd y llun gan asiant lluniau o'r enw Mr Duckett o Sevenoaks ac yna clywais ei fod wedi ei werthu i Brifysgol Indianapolis. Dwi heb weld na chlywed am y llun ers hynny!

Mi roedd y dysgu yn y Slade wedi cael ei ddylanwadu yn drwm gan yr 'Euston Road School' a gafodd ei sefydlu gan William Coldstream a oedd yn athro yno. Gan ddefnyddio llinynnau plwm a sgwariau mewn dull geometrig a gyda'r brwsh hyd braich i ffwrdd mi roedd hi'n bosib gwneud mesuriadau cywir o'r testun a oedd o flaen yr artist. I mi roedd hyn yn broses hynod o ddiflas ac mi dreuliais y rhan fwyaf o 'mlwyddyn gyntaf yn gweithio ar gastiau plastr cyn cael cyfle i weithio gyda modelau. Er fy mod yn syweddoli fod hyn i gyd yn rhan bwysig o fy addysg gelf, rhaid cyfadde fy mod wedi dianc sawl prynhawn i'r sinema neu i weld *matinee* yn y theatr!

Roedd y tiwtoriaid i gyd yn artistiaid profiadol ac yn arbenigwyr yn eu meysydd. Ceri Richards oedd yn dysgu crefft gwaith lithograff, Philip Sutton – *Etching*, Keith Vaughan – arlunio. Mi fyddai John Piper yn ymweld yn aml, a'r ysbïwr Anthony Blunt yn darlithio ar hanes celf. Mi wnes i astudio gwaith adfer yn y National Gallery a chynllunio ar gyfer y llwyfan yn Sadlers Wells a'r Old Vic.

Roeddwn yn derbyn yr hyfforddiant gorau nid yn unig ar yr ochr ymarferol ond hefyd ar hanes celf. Y dylanwadau cynnar arnaf oedd artistiaid fel Brughel, Bosch a Stanley Spencer. Yn syml, y rheswm am hyn oedd mai dyna'r ychydig lyfrau am artistiaid oedd ar silffoedd adran gelf Ysgol Pwllheli. Yn y Slade deuthum i werthfawrogi gwaith Rembrandt, Velázquez a Frans Hals ymhlith llawer o artistiaid eraill. Rhaid cyfaddef hefyd fy mod bron yn ddyddiol yn cael fy nylanwadu gan ddarluniau newydd.

Roedd gadael Pwllheli am Lundain wedi bod yn gam enfawr i mi gan fy mod wastad wedi bod yn berson eithaf swil. Roeddwn wedi cael fy amddiffyn rhag y byd mawr tu allan a'i demtasiynau. O'r math o ddysgu disgybledig a dan reolaeth yr oeddwn wedi arfer â fo yn yr Ysgol Ramadeg mi roedd bywyd yn y Slade yn hollol wahanol. I raddau helaeth mi roedd y cyfrifoldeb arna i o safbwynt faint o waith ac ymarfer yr oeddwn yn mynd i'w wneud. Wrth edrych yn ôl dwi wedi meddwl sawl gwaith falle fy mod wedi bod yn rhy ifanc i sylweddoli a manteisio ar yr holl gyfleon a phrofiadau gwych yr oedd y Slade yn eu cynnig i mi. Petawn wedi bod ychydig yn hŷn a gyda mwy o brofiadau bywyd dwi'n teimlo falle y byddwn wedi gwerthfawrogi a manteisio ar y profiadau hynny ychydig yn fwy nag y gwnes i.

Ar ôl dweud hyn mi roedd y pedair blynedd yn ysgol y Slade wedi hedfan ac roedd yn amser rŵan i mi adael a gwynebu'r her nesaf. Rhaid i mi gyfadde, o'r diwrnod cynta wnes i erioed deimlo'n anghyffyrddus nac allan o le yno.

Roedd cael bod yn ddyddiol yng nghwmni myfyrwyr hynod o uchelgeisiol yn fy ngwneud yn fwy hyderus nag y bûm i erioed o'r blaen. Roeddwn wedi cael y cyfle i feistroli fy nghrefft, dysgu am bwysigrwydd techneg arlunio a gwaith drafft, elfennau hanfodol i artist portreadau. Yn ystod fy amser yn y Slade roeddwn wedi bod yn hynod o gynhyrchiol, yn manteisio ar bob cyfle i arddangos fy ngwaith.

Yn ogystal â bod wrth fy modd yn y Slade roeddwn hefyd wedi ymgartrefu yn hapus iawn yn Llundain. Cael cyfleon di-ri i ymweld â'r orielau celf, y theatr a'r opera. Felly nid yw'n syndod pan ddywedaf y baswn wedi bod yn hapus iawn i aros yn Llundain.

Yn ystod fy wythnos olaf yn y Slade cefais alwad gan y pennaeth, Syr William Coldstream, i fynd i'w swyddfa am sgwrs. Mi roedd prifathro ysgol fonedd enwog Charterhouse wedi bod mewn cysylltiad ac yn chwilio am athro celf. Teimlai Syr William y byddai'r swydd yn gweddu i'r dim i mi. Cefais ychydig ddyddiau i feddwl am y cynnig, ond mewn gwirionedd doedd dim angen – roeddwn eisiau bod yn artist, nid yn athro. Wrth edrych yn ôl mi roedd hyn yn gamgymeriad; mi fydde cyfnod yn Charterhouse yn sicr wedi agor drysau, ac i artist portreadau mae cysylltiadau yn hollbwysig.

Ym mis Gorffennaf 1961, mi roeddwn yn ôl ym Mhwllheli yn byw gyda fy rhieni. Roeddwn yn dal i fyw y freuddwyd rhamantus o fod yn artist llawn amser ond sylweddolais yn gyflym nad Pwllheli oedd y lle delfrydol i hynny.

Pennod 6

Birmingham

Fel trwy gydol fy mywyd cefais gefnogaeth llwyr gan fy rhieni, ond ar ôl ychydig fisoedd roedd yn amlwg eu bod yn teimlo mai digon yw digon – rhaid cael job! Prynais gopi o'r *Times Education Supplement* ac wrth bori drwy'r tudalennau gwelais hysbyseb am athro celf yn Ysgol Ramadeg Waverley, Birmingham. Ysgrifennais at yr ysgol ac o fewn ychydig ddyddiau cefais ateb yn cynnig y swydd i mi. Oherwydd fy nghefndir yn y Slade doedd dim angen cyfweliad!

Dechreuais yn Birmingham ym mis Ionawr 1962. Dwi'n cofio'n iawn cyrraedd y ddinas mewn storm eira. Trefnwyd llety i mi mewn tŷ cyngor, yn rhannu gyda thri dyn arall. Doeddwn i ddim yn hapus o gwbwl gyda'r trefniadau. O fewn ychydig ddyddiau gwelais hysbyseb yn y papur lleol – 'Fflat dwy ystafell a chegin ym Moseley'. Pan gyrhaeddais y tŷ Fictorianaidd a oedd wedi gweld dyddiau gwell mi roedd y perchennog yn fy nisgwyl ar stepan y drws! Mrs Dawson, hen wraig annwyl oedd yn byw ar y llawr gwaelod gyda'i chi pekinese yn gwmni iddi.

Roedd y sefyllfa yn fy atgoffa o'r ffilm *The Ladykillers* gyda hen wraig annwyl yn byw lawr grisiau a minnau gyda dwy stafell fyny grisiau. Trawsnewidiais un o'r stafelloedd i fod yn stiwdio lle byddwn yn manteisio ar bob cyfle i beintio. Dyma'r fan a'r lle y penderfynais fy mod yn mynd i ganolbwyntio ar fod yn artist portreadau.

41

Y cam nesaf oedd hysbysebu mewn cylchgrawn poblogaidd yn y ddinas, *The Birmingham Sketch Magazine*, ac o fewn ychydig ddyddiau cefais fy ymholiad cyntaf: gŵr bonheddig o'r enw Mr Crilley. Cytunwyd ar bris o dri deg naw gini (tua £42) am bortread pen ac ysgwyddau mewn olew!

O leia roeddwn yn hapus gyda'r lodgings, ond yn dal yn ansicr iawn am y dysgu. Doeddwn i heb gael unrhyw hyfforddiant i fod yn athro, roeddwn i hefyd yn gorfod dysgu chwaraeon, ac i goroni'r cyfan, dyletswydd cinio ... anhrefn llwyr! Nid dyma sut roedd bywyd i fod, ond o leia roeddwn yn cael cyfle i beintio yn ystod y nosweithiau a'r penwythnosau.

Roedd fy nhad a'm taid yn hoff o gasglu hen ddarluniau, yn bennaf i addurno'r tŷ yn hytrach nag am unrhyw werth celfyddydol. Mae'n ymddangos fy mod innau hefyd wedi etifeddu'r obsesiwn yma a dechreuais grwydro o gwmpas siopau hen greiriau a mynychu arwerthiannau.

Yn ystod gwyliau'r Pasg 1964 mi es i arwerthiant cyffredinol cwmni Robert Parry ym Mhwllheli a phrynu bocs o hen luniau a oedd mewn cyflwr eitha truenus a dweud y lleiaf! Er hyn mi roeddwn yn teimlo fod un ohonynt gan Thomas Webster yn dangos dipyn o botensial. Mi es â'r bocs o luniau yn ôl gyda mi i Birmingham ond ar ôl edrych arnynt eto mewn mwy o fanylder suddodd fy nghalon pan sylweddolais eu bod nhw i gyd y tu hwnt i unrhyw adfer. Sylweddolais hefyd mai dyna yn siŵr oedd y rheswm fy mod wedi llwyddo i'w prynu mor rhad!

Dechreuais chwilio drwy golofn hysbysebion bach y *Birmingham Post* a darllen fod Quinney's Antiques yn chwilio am glociau, dodrefn, gemwaith a darluniau mewn unrhyw gyflwr! Cysylltais â Quinney's yn syth ac atebwyd y ffôn gan ferch gyda llais swynol, a esboniodd fod Mr

Quinney yn Llundain ar fusnes ond y byddai'n cysylltu gyda mi ar ôl iddo ddychwelyd i wneud apwyntiad i weld y lluniau. Yn y cyfamser, roedd Mrs Dawson, perchennog y tŷ, wedi syrthio ac yn yr ysbyty, ac fel roedd hi wedi dweud sawl tro, roedd croeso i mi ddefnyddio ei hystafell ffrynt ar gyfer unrhyw achlysur arbennig.

Pan gyrhaeddodd Mr a Mrs Quinney y tŷ mi es i â nhw yn syth i mewn i ystafell ffrynt Mrs Dawson lle roedd fy mhentwr o luniau wedi eu gosod allan. Gallwn weld yn syth fod Mr Quinney wedi ei arswydo ond dechreuodd edrych o gwmpas ar y lluniau ar y waliau a holi os oedd y lluniau yma ar werth! Dywedais fy mod yn fwy na hapus i gyfleu ei ddiddordeb i'r perchennog ar yr amod ei fod yn fodlon rhoi pris teg am fy lluniau i. Does dim dwywaith fod hyn i gyd wedi fy ysbrydoli i gymryd mwy o ddiddordeb yn ochr fasnachol gwerthu hen luniau!

Cyn hir darganfyddais mai enw iawn 'Mr Quinney' oedd Ron Green o Towcester, a 'Mrs Quinney' oedd Hazel Abrahamson a oedd yn cadw siop hen greiriau hynod o chwaethus yn Hagley Road, Edgbaston. Mi roedden nhw'n dîm aruthrol a thrawiadol. Rhaid imi ddweud, mae 'Ron a Hazel' yn swnio mwy fel act canu a dawnsio o'r dyddiau *Music Hall* a phan oedd hi'n dod yn fater o brynu a gwerthu ac ymweld â chwsmeriaid dyna'n union beth oeddent! Hi yn osgeiddig a golygus ac yntau mewn siwt smart Saville Row yn edrych fel syniad pawb o ddyn busnes llwyddiannus. Heb amheuaeth, mi roeddent yn bâr perffaith! Dwi'n cofio bod yn eu cwmni pan oeddent yn ceisio prynu darlun yn nhŷ darpar werthwr a oedd braidd yn betrusgar. Dyma Hazel yn ei hacen orau yn dweud ei bod mewn anobaith llwyr gan fod ei 'gŵr' yn rhy hael o lawer gyda'i arian. Bron iawn fel tasai Ron yn aros am ei giw dyma fo yn estyn hances allan o'i boced ac wrth wneud hynny dyma fwndel o arian papur yn syrthio allan ar hyd y llawr. Wrth weld yr arian dyma wyneb y darpar werthwr yn goleuo a chytunwyd ar bris o fewn munudau!

Mi ddes yn ffrindiau da gyda'r ddau a chyn hir roeddent yn ymwelwyr cyson â Phwllheli. Pan fyddent yn ymweld â'r dref yn chwilota am hen greiriau, mi fyddai pennau'r trigolion lleol yn troi wrth weld Ron yn gyrru i lawr y stryd fawr yn ei Jaguar E-type a Hazel wrth ei ochr yn edrych fel seren Hollywood! Ar un achlysur mi wnes i ddwyn perswâd ar fy rhieni i'w gwahodd i ddod draw i'r tŷ am de.

'Ydych chi wedi cael diwrnod da?' gofynnodd fy mam.

'Arbennig iawn,' atebodd Ron. 'Wnes i brynu Rubens bore 'ma oddi wrth yr Arglwydd Rumbledown!'

'Wel, gobeithio y gwnewch chi'n dda gyda'r llun,' oedd sylw fy mam.

'Dim o gwbl, dwi wedi ei roi i elusen yn barod!' atebodd Ron gydag awgrym o wên ddireidus ar ei wyneb!

Roedd Ron yn raconteur heb ei ail a chanddo stori addas ar gyfer pob achlysur. Roedd yn arbenigwr yn ei faes ac yn gwybod am bob tric yn y llyfr. Llwyddodd hefyd i greu cryn argraff arnaf a dysgais fwy am y busnes prynu a gwerthu hen greiriau ganddo fo nag y baswn wedi ei wneud mewn blynyddoedd o astudio. Dangosodd i mi sut i adfer hen gynfasau ac fel mae'r ffrâm priodol yn gallu trawsnewid darlun. Dysgais hefyd i osgoi lluniau isel-ael fel golygfeydd mewn hen dafarndai a chychod pysgota a chanolbwyntio ar gelf uchel-ael fel merched crand mewn gerddi a golygfeydd hela.

Flynyddoedd yn ddiweddarach pan oeddwn wedi symud i fyw i Gaerdydd dwi'n cofio cael galwad ganddo. Roedd yn gorfod dod i'r brifddinas ar fusnes ac am aros dros nos. Trefnais i'w gyfarfod am bryd o fwyd yng ngwesty moethus yr Angel yn Stryd Westgate.

Wrth gerdded i mewn i fwyty'r gwesty a chael ein

cyfarch gan y Maître D' a'n harwain at ein bwrdd, dyma
Ron yn tynnu papur ugain punt allan o'i boced a'i roi yn
llaw y Maître D'. Cliciodd yntau ei fysedd a'r peth nesaf a
wyddwn roedd y bwrdd wedi ei amgylchynu gan
weinyddion a gweinyddesau. Drwy gydol ein pryd,
roeddent yn hofran o gwmpas y bwrdd yn gwneud yn siŵr
fod pob dim yn berffaith. Roedd yn amlwg ar fy ngwyneb fy
mod wedi cael dipyn o sioc gyda haelioni Ron. Esboniodd
ei fod wastad yn rhoi'r 'tip' cyn y cinio yn hytrach nag ar ôl,
wedyn mi fyddai'r gweinydd yn disgwyl hyd yn oed mwy ar
y diwedd ac yn gwneud popeth yn ei allu i sicrhau ein bod
yn cael y gwasanaeth gorau posib. Mor nodweddiadol o'r
ffordd roedd yn gweithredu!

Rhaid i mi yn y fan hyn dalu teyrnged i brifathro Ysgol
Ramadeg Waverley, Cymro o'r enw Sam Shirley, ysgolhaig
Rhydychen a fu yn hynod o gefnogol. Ar ôl treulio
gwyliau'r haf nôl ym Mhwllheli a dychwelyd i Birmingham,
penderfynais ofyn iddo a fyddai'n bosib i mi ddysgu'n rhan
amser er mwyn canolbwyntio mwy ar yr arlunio. Dywedodd
ei fod yn teimlo fy mod wedi gwneud cryn argraff ar y plant
a bod mwy nag erioed yn ymddiddori mewn celf a'r nifer
mwyaf yn hanes yr ysgol wedi eistedd yr arholiad celf Lefel
O. Er hyn credaf mai'r compliment mwyaf a gefais oedd
gweld bwli'r ysgol yn gwirfoddoli i aros ymlaen ar ddiwedd
y prynhawniau i helpu tacluso'r dosbarth!

Mi roedd hyd yn oed gofalwr yr ysgol, Tom Higgs, yn
awyddus i helpu, a llwyddais i ddwyn perswâd arno i
fodelu! Cefais fenthyg feiolin gan yr athro cerddoriaeth a
thrawsnewidiwyd Tom i fod yn feiolinydd o fri ar gyfer y
portread! Penderfynais alw'r portread yn 'Y Trwbadŵr' ac
fe gafodd ei arddangos yng Nghanolfan Birmingham. Er
mawr syndod i mi fe ddangosodd y wasg leol gryn
ddiddordeb yn y darlun gyda Tom y gofalwr yn dod yn
dipyn o seléb!

Cytunodd y prifathro i mi weithio dydd Llun, Mawrth a bore Mercher. Golygai hyn fod gen i ddigon o arian i dalu rhent a hefyd yn gallu dal i beintio. Cefais gomisiwn ganddo hefyd i beintio portreadau o gyn-brifathrawon yr ysgol. Pwy a ŵyr, falle eu bod yn dal i fyny ar waliau'r ysgol!

Pennod 7

Yr Entrepreneur

Er bod pethau yn well nag y buon nhw roeddwn yn dal i ysu am fod yn artist llawn amser; doeddwn i erioed yn gyffyrddus yn dysgu. Ar ôl blwyddyn roeddwn yn weddol isel, gyda'r teimlad nad oedd fy ngyrfa yn datblygu, ychydig iawn o gysylltiadau a dim byd i'w weld yn mynd i newid yn fuan.

Mewn gwirionedd, ychydig o newid a fu yn fy mywyd yn ystod y deuddeg mis nesaf. Roeddwn i'n dal i ddysgu dau ddiwrnod a hanner yr wythnos gan dreulio gweddill yr amser yn arlunio gymaint ag y gallwn. Roeddwn hefyd yn manteisio ar unrhyw gyfle i fynd adre i Bwllheli. Ychydig a wyddwn ar y pryd, ond roedd un o'r ymweliadau yna yn mynd i chwarae rhan allweddol yn fy mywyd.

Roedd Huw Roberts, athro cemeg yn ysgol Botwnnog, wedi bod yn ffrind i 'nhad ers blynyddoedd. Gŵr a gymerai gryn ddiddordeb yn y celfyddydau – yn enwedig drama. Sefydlodd Gwmni Drama Glan y Môr Pwllheli, ac mi roedd fy nhad yn un o'r actorion.

Gofynnodd Huw i mi a fyddai diddordeb gen i mewn helpu gyda'r set ar gyfer y cynhyrchiad nesaf a oedd i gael ei berfformio yng Ngŵyl Ddrama Llangefni. Gan fy mod wedi astudio cwrs 'Cynllunio ar gyfer y Theatr' yn ystod fy nghyfnod yn y Slade, mi roeddwn yn fwy na balch i dderbyn y sialens. Mi ddes i nabod Huw yn dda a dwi'n

cofio dweud wrtho fy mod yn poeni nad oedd fy ngyrfa'n
datblygu fel yr oeddwn wedi gobeithio. Er fy mod wedi cael
cwpwl o gomisiynau portreadau yn Birmingham ac wedi
arddangos yn y Vintage Rooms yno, roedd yn amser newid
cwrs. Yr ateb delfrydol fydde cael oriel fy hun. Mi fyddai
hyn yn fy ngalluogi i arddangos a gwneud cysylltiadau.

Yn ogystal â bod yn athro, roedd Huw Roberts yn dipyn
o entrepreneur lleol hefyd. Awgrymais wrtho y byddai'n
syniad gwych petaen ni'n gallu agor galeri yn y dre yn ystod
gwyliau'r haf. Cysylltodd â'i ffrind Dafydd Parry yr
ocsiwnïar a oedd yn fodlon cynnig rhentu adeilad i ni. Felly
am rent o ddeg swllt yr wythnos dyma drawsnewid tŷ
bwyta Y Ford Gron ar Allt Salem yn Galeri Celf Pwllheli.

Roedd Huw yn gyfrifol am y gwaith gweinyddol a
minnau am gynnwys y galeri.

Ychydig fisoedd cyn agor y galeri dwi'n cofio ymweld ag
arddangosfa o ddarluniau dyfrlliw y Gymdeithas Frenhinol
yn Birmingham. Amaturiaid oedd y rhan fwyaf o'r
artistiaid ac mi roedd gwaith un ohonynt wedi creu cryn
argraff arnaf. Ei enw oedd Donald McIntyre. Gydag enw fel
yna, meddyliais, mae'n siŵr ei fod yn byw yn yr Alban.
Gallwch ddychmygu fy syndod o ddarganfod nad yn
ucheldiroedd yr Alban yr oedd o'n byw, ond ym Mangor!

Deintydd ysgolion yng Nghaernarfon oedd ei waith bob
dydd ac roedd yn arlunio yn ei amser hamdden. Trefnais i
fynd i'w weld ac roedd hi'n amlwg o'r cychwyn fod y ddau
ohonom yn rhannu'r un freuddwyd, sef bod yn artist llawn
amser. Roedd Donald yn bersonoliaeth hynod o
ddiymhongar a phan ofynnais iddo a oedd ganddo
ddiddordeb mewn arddangos mewn galeri ym Mhwllheli
yn ystod misoedd yr haf roedd yn fwy na bodlon.
Esboniodd ymhellach ei fod wedi bod yn dangos ei luniau
yng nghaffi y Bay Tree yn Nefyn a bod ganddo ffrind,
Charles Wyatt Warren, a oedd yn arddangos yng nghaffi'r

Hunanbortread yn 1962

Sandbach yn Llandudno. Teimlai y byddai Charles hefyd yn awyddus i arddangos mewn galeri. Dyna'r math o gysylltiadau roeddwn eu hangen.

Agorwyd y galeri ar y trydydd o Orffennaf 1964 gan y cynghorydd Jack Pollecoff. Mi roedd Jack a Rebecca Pollecoff yn gwpwl amlwg yn y dref. Jack oedd yn rhedeg y Siop Goch ar gornel y Stryd Fawr, yn gwerthu deunydd ffabrig ac eitemau cartref fel llieiniau sychu llestri, tyweli, llieiniau bwrdd ac ati. Mae'n debyg mai Jack oedd yn rhedeg y siop ond yna mi ddechreuodd Rebecca ddangos diddordeb yn y busnes. Fe brynon nhw siop arall dros y ffordd yn arbenigo mewn dosbarth gwell o ffasiynau merched yn ogystal ag adeilad cyfagos lle roedden nhw'n gwerthu llestri a phorslen o safon.

Mi roedd Pollecoffs ar lefel wahanol i'r rhan fwyaf o siopau eraill y Stryd Fawr. Dwi'n cofio Jack yn dweud wrtha'i un tro mai'r rheswm am y llwyddiant oedd fod ei siop wedi ei goleuo gyda goleuadau llachar. Esboniodd fod pobol fel gwyfynod yn cael eu denu gan oleuni. Mewn stryd lle roedd y rhan fwyaf o'r siopau eraill yn tueddu i fod yn dywyll a digroeso, roedd ganddo bwynt!

Mi ddysgais lawer ganddo am sut i redeg busnes yn llwyddiannus. Pan gefais wahoddiad ganddo i beintio'i bortread penderfynwyd gwneud hynny yn gyfan gwbwl yn y fan a'r lle. Fy 'stiwdio' oedd to fflat y tu cefn i'r siop, a bob hyn a hyn mi fydde cwsmer neu drafeiliwr masnachol yn galw i mewn i'r siop. Byddai'n rhaid i Jack fy ngadael er mwyn siarad gyda nhw. Yn y cyfnod yna wrth droi o gwmpas gwelwn fod pobol yn cuddio tu ôl i lenni ffenestri yn gwylio'r holl broses!

Rhaid imi ddweud, dros y blynyddoedd mae'r teulu Pollecoff wedi bod yn gefnogwyr triw a hael ac roeddwn mor falch fod Jack wedi cytuno i agor y galeri. Ar y llawr gwaelod, dau ddeg chwech o luniau Donald McIntyre, fy lluniau i ar y llawr canol, ac yna amrywiaeth o waith dosbarth celf nos Elis Gwyn ac artistiaid eraill ar y grisiau a'r llawr uchaf. Roedd y noson agoriadol yn noson i'w chofio, pawb yn canmol a Jack Pollecoff yn ei araith yn dweud fod y galeri yn mynd i lenwi bwlch ym myd celfyddydol de Sir Gaernarfon. Roedd dros gant o luniau yn yr arddangosfa yn amrywio mewn pris rhwng tri gini (£3.15) a chanpunt. Dwi ddim yn sicr faint werthwyd ar y noson ond dwi'n cofio Huw Roberts yn dweud wrtha'i fod y rhent wedi ei dalu!

Yn ystod yr wythnosau nesaf gwelwyd gwaith nifer o artistiaid eraill gan gynnwys Charles Wyatt Warren (a fyddai'n danfon ei ddarluniau o'i gartref yng Nghaernarfon ar fws Crosville!), Jonah Jones Pentrefelin, Gwilym Pritchard a'i frawd Arthur, Rowena Wyn Jones, Helen Steinthal a Roy Ostle. Trefnodd Donald McIntyre i'w ffrind Kyffin Williams anfon tirlun olew i'w werthu yn yr arddangosfa hefyd. Gwnes yn siŵr fod y darlun hwnnw'n cael lle amlwg yn ffenest ffrynt y galeri ... ond yn anffodus mi roedd y llun yn dal yno ar ddiwedd yr arddangosfa! Mae hi weithiau yn amhosib proffwydo pa luniau fydd yn gwerthu!

Rhwng cefnogaeth pobol leol fel y Pollecoffs, R.H. Jones, Jim Lloyd Jones Bon Marche a'r ymwelwyr, roedd y fenter yn llwyddiant. Roeddwn yn gwerthu lluniau a hefyd yn cael comisiynau portreadau gan gynnwys Maer Pwllheli ac Esgob Bangor.

Pennod 8

O Cynan i Calzaghe

Tua'r adeg yma hefyd mi gefais gomisiwn gan Jack Pollecoff i beintio portread o un o feibion enwocaf Pwllheli sef yr Archdderwydd Cynan. Dwi'n cofio trefnu mynd i'w dŷ ym Mhorthaethwy tua canol dydd, y diwrnod ar ôl iddo ddod adref o'i fis mêl ar ôl priodi ei ail wraig. Cyrhaeddais yn hynod o nerfus gyda phensiliau a llyfr braslunio. Cefais groeso gwresog gan Cynan a Mrs Jones cyn iddi hi esgusodi ei hun i fynd i baratoi cinio. Gofynnodd Cynan i mi os oeddwn yn ffansïo diod, gan agor cabinet coctêl gyda dewis cynhwysfawr o ddiodydd. Teimlais y byddai'n well gwrthod rhag iddo gael y syniad anghywir am yr artist ifanc a oedd yn mynd i'w ddarlunio. Treuliais ychydig amser yn braslunio ac yn tynnu lluniau ar fy nghamera. Y peth nesaf a wyddwn oedd fod Mrs Jones yn rhedeg i mewn i'r stafell yn hynod o ypsét. 'Dwi wedi llosgi'r cinio!' meddai. 'Y pryd cyntaf i mi baratoi iddo fo ... dwi wedi llosgi cinio Cynan!" Teimlais ei bod hi'n amser i mi wneud fy esgusodion a gadael!

Ar ôl cwblhau'r portread penderfynwyd ei anfon at Bwyllgor Celf a Chrefft Eisteddfod Abertawe, er mwyn i'r genedl ei weld yn y Babell Gelf a Chrefft. Yn anffodus fe wrthodwyd y llun oherwydd fod y dyddiad i dderbyn lluniau wedi mynd heibio ... rheolau ydi rheolau! Rywsut neu'i gilydd llwyddodd y wasg i gael gafael ar y stori ac fe ymddangosodd yn y *Daily Post* o dan y pennawd 'Cynan

*Adroddiad papur newydd am ddadorchuddio
llun Cynan ym Mhwllheli.
Ar y chwith, rwy'n sefyll rhwng Cynan a'r portread
ac ar y dde mae Menna, gwraig Cynan a'r
Cynghorydd Jack Pollecoff.*

Portrait Rejected by Eisteddfod'. Yn ffodus mi roedd digon o stondinau ar y Maes oedd yn fwy na bodlon i gynnig arddangos y portread ac ym mhabell cwmni teledu TWW y bu drwy gydol yr Eisteddfod.

Ar ôl yr holl gyffro a chyhoeddusrwydd ynglŷn â'r portread o Cynan, mi es yn ôl i Birmingham ym mis Medi yn teimlo'n fwy hyderus ynglŷn â 'nyfodol. Roeddwn hefyd yn gwybod mai dyma fyddai fy mlwyddyn olaf fel athro. Er hyn, rhaid cyfaddef fod ynof elfen o dristwch wrth i mi adael byd addysg. Yn sicr, wna'i byth anghofio'r gwasanaeth ysgol boreuol ddiwedd y tymor pan gyhoeddodd y prifathro fy mod yn gadael ac mai dyma oedd fy niwrnod olaf yn yr ysgol. Dilynwyd y newyddion gan ochenaid o siomedigaeth gan y disgyblion. Daeth hyn fel tipyn o sioc i mi gan nad oedd gennyf unrhyw hyder yn fy ngallu fel athro. Er fy mod yn falch fy mod wedi creu argraff, rhaid cyfaddef bod yr ymateb annisgwyl yma wedi gwneud imi deimlo elfen o euogrwydd hefyd wrth gefnu ar rai oedd i weld wedi dod i ddibynnu arnaf am arweiniad i'w helpu i ddatblygu eu talent gelfyddydol.

Os mai dyn prifwyl oedd Cynan, dyn ffair oedd Joe Calzaghe. Ond efallai y byddai gan y ddau barch mawr at ei gilydd hefyd!

Mi wnes i gyfarfod Joe Calzaghe yn ei gampfa yn Nhrecelyn, ychydig cyn ei ornest yn erbyn Roy Jones yr ieuengaf yn Madison Square Garden, Efrog Newydd.

Roeddwn yn sicr yn gallu teimlo'r cyffro a'r nerfusrwydd o gwmpas y gampfa ac roedd y berthynas agos rhwng Joe a'i dad a'i hyfforddwr, Enzo, i'w weld yn glir. Ynghanol awyrgylch mor drydanol, roedd yn rhaid i mi symud bron mor gyflym â Joe i gael yr hyn yr oeddwn ei angen ar gyfer y portread.

Fel y digwyddodd, ei ornest yn erbyn Roy Jones oedd yr un olaf iddo. Penderfynodd ymddeol ar y brig gan ddweud nad oedd ganddo ddim ar ôl i'w brofi. Roeddwn mor ddiolchgar iddo am roi ei amser i mi, a hynny o dan amgylchiadau llawn tyndra.

Wrth edrych yn ôl ar fy ngyrfa byddaf weithiau yn meddwl pa mor ffodus dwi wedi bod i gael y fath amrywiaeth yn fy ngwaith. Daeth pob portread â rhyw her newydd a gwahanol. O Cynan i Calzaghe, mae hi'n sicr wedi bod yn siwrnai ddiddorol!

Pennod 9

Caerdydd

Dwi'n siŵr y byddai unrhyw artist ifanc yn cytuno na tydi hi ddim yn hawdd gwneud bywoliaeth o fod yn artist. Mae'n rhaid rhoi cynnig ar bopeth i sefydlu eich hunan ac yn sicr dyna be wnes i yn ystod y cyfnod yma. Teimlwn mai un o'r llwyddiannau oedd y galeri ym Mhwllheli ac edrychwn ymlaen at ailgydio yn y fenter yn ystod yr haf ar ôl i mi orffen dysgu yn Birmingham.

Gwneuthum ymholiadau ynglŷn â'r adeilad roeddwn wedi'i rentu y flwyddyn flaenorol ond yn anffodus erbyn hyn roedd wedi ei werthu. Fel y soniais o'r blaen, mae cysylltiadau yn hollbwysig i artist, felly cysylltais â'r cynghorydd Jack Pollecoff a oedd wedi bod mor gefnogol yn y gorffennol. Cytunodd ar ôl llwyddiant 1964 y byddai cael Oriel Gelf yn y dref yn ystod misoedd yr haf unwaith eto o fudd i'r bobol leol ac, wrth gwrs, y twristiaid. Trefnodd Jack gyfarfod arbennig o'r pwyllgor a chynigiwyd Neuadd y Dref i mi am rent o saith bunt pum deg ceiniog yr wythnos. Sut allwn i wrthod! Unwaith eto doedd dim problem llenwi'r galeri gydag amrywiaeth o ddarluniau gyda ffrindiau fel Donald McIntyre, Gwilym Pritchard a Charles Wyatt Warren yn fwy na bodlon i arddangos eu gwaith. Fel yn y flwyddyn flaenorol cafwyd noson agoriadol hynod o lwyddiannus, ac agorwyd yr arddangosfa yn swyddogol gan y Gweinidog Gwladol, Goronwy Roberts.

Teulu gyda chysylltiadau agos â thref Pwllheli oedd teulu yr Andrews. Solomon Andrews oedd yn gyfrifol am adeiladu rhan sylweddol o'r dre, a fo hefyd fu'n gyfrifol am galeri gelf Plas Glyn y Weddw, Llanbedrog, a oedd wedi rhoi cyfle i drigolion Pwllheli a'r cylch fwynhau celf o'r safon uchaf. Hoffai'r teulu ddod i Bwllheli i dreulio misoedd y haf, a'r flwyddyn flaenorol roedd un aelod, Mary Yapp o Gaerdydd, wedi ymweld â fy ngaleri i. Dwi'n cofio sgwrsio gyda hi am y posibilrwydd o agor oriel gelf yng Nghaerdydd. Esboniodd bod oriel yno yn barod sef Galeri Howard Roberts a oedd yn gwerthu gwaith artistiaid enwog fel Ceri Richards, Kyffin Williams a Josef Herman. Er hynny teimlai Mary fod y syniad o gael ail galeri yn y brifddinas yn un da ac roedd ei hymateb ar y noson yn eitha brwdfrydig.

Erbyn hyn roedd blwyddyn wedi mynd heibio a doeddwn i heb glywed gair ganddi. Penderfynais gysylltu a threfnu cyfarfod. Roedd hi yr un mor frwdfrydig ond y tro yma awgrymodd y dylwn ddod lawr i Gaerdydd i chwilio am adeilad addas. Cytunais ar drefniant busnes o rannu pob dim hanner a hanner.

Trefnais i gael hysbyseb yn y papur lleol yn chwilio am adeilad a fyddai'n addas ar gyfer galeri. Ar ôl dros fis o fethu dod o hyd i unrhyw le a minnau ar fin rhoi'r ffidil yn y to, cefais alwad ffôn gan gwmni arwerthwyr tai. Roedd ganddynt adeilad yn ffordd Albany a oedd wedi ei rannu'n fflatiau ar gyfer myfyrwyr, ond roedden nhw'n chwilio am denant ychydig mwy parhaol. Trefnais i weld yr adeilad ac yn syth gwelais y potensial. Safle gwych, digon o le i arddangos a hefyd cyfle i mi gael fflat uwchben y galeri. Cytunodd Mary Yapp y bydde'r adeilad a'r safle yn ddelfrydol. Teimlai hefyd fod y rhent yn ddigon teg ac arwyddwyd y cytundeb ym mis Awst 1965.

Mi roedd yr arddangosfa yn Neuadd y Dre wedi bod yn

Taflen farchnata gynnar

hynod o lwyddiannus. Cofiaf un diwrnod pan gerddodd yr
awdur, a Phennaeth Hanes Ysgol Eton, yr Anrhydeddus
Giles St Aubyn i mewn. Fo hefyd oedd perchennog un o
Ynysoedd Tudwal ac ar ôl sgwrs ddifyr fe brynodd bedwar
o fy nhirluniau a chefais fy ngwahodd i'w gartref ger
Botwnnog. Roedd yn awyddus i gael darlun o'i dŷ a hefyd ei
gŵn!

Rhyw wythnos yn ddiweddarach cefais ymweliad gan un arall o athrawon Eton, sef Raymond Parry. Roedd o a'i deulu ar wyliau yn yr ardal ac yn aros yn nhŷ Giles St Aubyn. Dywedodd wrthyf fy mod i wedi creu cryn argraff arno gyda fy mhortread o'r athronydd Bertrand Russell a fyddai'n rhentu tŷ ger y Cob ym Mhorthmadog.

Ar sail yr hyn a welodd, cefais wahoddiad i dreulio ychydig o amser yn aros gyda fo a'i deulu yn Ysgol Eton. Y bwriad oedd darlunio rhai o'i ffrindiau yn ardal Windsor ac Eton yn ogystal ag aelodau nodedig o'r gymdeithas fel yr Arglwydd Hailsham a Harry Percy, aelod o deulu castell Alnwick a ddefnyddiwyd yn y ffilmiau Harry Potter. Derbyniais y gwahoddiad ond rhaid oedd esbonio oherwydd fy ymrwymiad i'r oriel newydd yng Nghaerdydd nad oeddwn yn gallu rhoi amser penodol ar y pryd.

Cysylltiad arall y bûm yn ffodus o'i gael yn ystod y cyfnod yma oedd Anita Evens. Mi roedd Anita yn berchen ar siop hen greiriau yng Nghricieth. Fe gerddodd i mewn i'r Galeri un prynhawn a siarad gyda fy nhad a oedd yn edrych ar ôl y lle y diwrnod hwnnw. Fe ddywedodd ei bod yn hoff iawn o luniau un o'r artistiaid a oedd yn arddangos, sef David Griffiths. Aeth ymlaen i ofyn a fyddai unrhyw bosibilrwydd o'i gyfarfod? Yn ôl yr hyn a glywais, ei ymateb oedd dweud 'Wel, dach chi'n barod wedi cyfarfod y tad, dwi'n siŵr na fydd dim problem trefnu i chi gyfarfod y mab!'

O'r diwrnod hwnnw ymlaen, Anita oedd fy asiant yng ngogledd Cymru. Mi roedd y ffaith ei bod yn hoff o'm gwaith a bod ganddi hyder yn yr hyn roedd hi'n ei werthu yn fy sbarduno i greu mwy. Gyda'i chyfuniad o swyn, perswâd a phersonoliaeth gynnes mi roedd y tirluniau a'r paentiadau môr yn teithio ymhell ac agos! Cofiaf gael galwad ganddi un diwrnod yn fy hysbysu fod darlithydd a'i wraig o Awstralia wedi galw yn ei siop y bore hwnnw ac wedi prynu tri o fy lluniau. Rhyw awr yn ddiweddarach fe alwodd Esgob Bangor a'i wraig gan brynu tri arall!

Pan symudodd yr Esgob, sef Dr Barry Morgan, i Gaerdydd ar ôl ei benodi'n Archesgob Cymru, cefais wahoddiad ganddo i'w gartref. Gallwch ddychmygu fy syndod pan welais fod wal gyfan wedi ei neilltuo i'm gwaith! Rhaid dweud fod y Dr Barry Morgan wedi bod ac yn parhau i fod yn gefnogwr ymroddedig i'm tirluniau, yn ffrind ffyddlon ac yn gwmni difyr, hyd yn oed pan ma' pethau'n mynd yn eithaf cystadleuol ar y cwrs golff!

Fe gysylltodd â mi un diwrnod i ddweud ei fod wedi prynu braslun olew o'm gwaith mewn ocsiwn yn Guernsey. Esboniodd mai golygfa o'r Bermo oedd y darlun, a phan welais y llun cofiais yn iawn ei werthu flynyddoedd yn ôl i Giles St Aubyn yn y Galeri ym Mhwllheli. Bu farw Giles ryw flwyddyn yn gynharach ac mi roedd eitemau o'i ystâd yn cael eu gwerthu. Roedd yr olwyn wedi dod yn gylch llawn!

Yn syth ar ôl i'r arddangosfa ym Mhwllheli ddod i ben, symudais i lawr i Gaerdydd gan fyw yn y fflat uwchben y galeri. Roeddwn wedi rhannu'r lle yn stiwdio a stafell wely gan gysgu ar fatres digon anghyfforddus!

Roedd y cyfnod yma yn un hynod o brysur i mi gan fy mod yn dal i beintio gymaint ag y gallwn a hefyd yn ymgymryd â pheintio o fath gwahanol wrth geisio cael y galeri yn barod. Agorwyd yr oriel ym mis Rhagfyr 1965 ac roeddwn wedi trefnu i Charles Wyatt Warren gael arddangosfa ar gyfer yr achlysur. Gwerthwyd pob un o'i luniau ac i goroni'r cyfan cafwyd adroddiadau hynod o ganmoliaethus yn y wasg. O'r diwedd mi roedd pethau i weld yn symud yn y cyfeiriad iawn.

Kyffin Williams

Y tro cyntaf i mi glywed yr enw Kyffin Williams oedd pan wnaeth fy mam ddisgrifio ei ddarluniau ar waliau cartref ei ffrind a chyd-chwaraewr *bridge*, Gwladys Seaborne Davies. Mi roedd Gwladys yn rhannu ei thŷ, Garn, gyda'i brawd David Seaborne Davies, cyn-aelod seneddol ac athro yn Adran y Gyfraith ym Mhrifysgol Lerpwl. Roedd David yn gasglwr brwdfrydig o waith Kyffin, ac roedd ei ddarluniau i'w gweld yn amlwg o gwmpas Garn. 'Maen nhw'n hollol ofnadwy, yn dywyll a hunllefus,' oedd geiriau fy mam. Mi roedd Gwladys yn cytuno ac yn methu deall meddylfryd ei brawd!

Pan gefais gomisiwn gan Brifysgol Lerpwl i beintio portread o David cefais gyfle i weld y darluniau 'erchyll' yma. Rhaid cyfaddef, mi roeddent yn wirioneddol dywyll a braidd yn ddifywyd gan nad oedd unrhyw farnish arnynt i'w bywiogi. Roedd y lliwiau du ac ambr wedi eu gweu i mewn i'w gilydd. Golygai hyn nad oedd hi'n ymddangos fod unrhyw ffurf i'r darlun felly doedd dim syndod fod rhai yn eu gweld yn arswydus! Er hyn mi wnaeth y lluniau greu cryn argraff arnaf, yn bennaf oherwydd y grym a'r egni a oedd yn amlwg ar y cynfas. Penderfynais wneud ymchwil pellach yn y gobaith o gyfarfod y dyn ei hun!

Mi drefnodd Donald McIntyre i mi gyfarfod Kyffin mewn tafarn yn y Felinheli. Roedd yn amlwg fod y ddau yn

63

gyffyrddus iawn yng nghwmni ei gilydd. Soniais fy mod wedi aros ar y ffordd yng Nghaernarfon ac wedi prynu tirlun mewn siop hen greiriau. Es ymlaen i ddweud fy mod yn meddwl fy mod wedi dod o hyd i drysor annisgwyl, darlun gan Constable, gyda'i enw i'w weld, er yn aneglur, ar y cynfas. Mynnodd Kyffin i mi fynd i nôl y llun o 'nghar, a phan welodd y darlun chwarddodd a dweud, 'I think you're right, it could be a constable, but unfortunately one of the Caernarfon constables and there's a lot of them around these days!'

Bu cryn sgwrsio, hel atgofion a chwerthin, a hedfanodd y ddwy awr heibio. O'r diwedd roeddwn wedi cyfarfod yr artist y byddai gennyf y parch a'r edmygedd mwyaf tuag ato. Gallaf ddweud hefyd dros y blynyddoedd fod ei gyfeillgarwch yn golygu llawer i mi.

Ym 1965 mi roedd gan Oriel Gelf Howard Roberts yng Nghaerdydd nifer o artistiaid blaenllaw y cyfnod dan gytundeb. Roedd y rhestr yn cynnwys John Piper, Graham Sutherland, Ceri Richards a Kyffin Williams. O safbwynt Kyffin, dim ond ei luniau olew roedd y galeri'n eu harddangos. Golygai hyn ei fod yn gallu arddangos ei luniau dyfrlliw neu inc a golch ble bynnag yr oedd yn dewis. Penderfynodd o safbwynt hwylustod eu dangos mewn caffi drws nesa i Oriel Howard Roberts. Pan ofynnais iddo os oedd diddordeb ganddo i'w harddangos yn fy ngaleri i yn Heol Albany, mi roedd yn fwy na bodlon. Yn ddiweddarach pan gaeodd Oriel Howard Roberts, cam naturiol oedd i'r galeri yn Heol Albany gymryd yr awenau fel asiant Kyffin Williams.

Erbyn hyn roedd fy nghysylltiad i â'r galeri wedi dod i ben ar delerau cyfeillgar. Tua'r un cyfnod mi roedd y galw aruthrol am waith Kyffin yn golygu fod Mary Yapp (perchennog y galeri) yn teithio'n gyson i Sir Fôn ac yn dychwelyd gyda phentwr o luniau Kyffin. Yn anffodus,

doedd nifer o'r gweithiau hyn ddim mewn cyflwr arbennig
o dda. Roedd yn dipyn o gompliment i mi pan glywais gan
Mary Yapp fod Kyffin wedi mynnu mai dim ond fi oedd â'r
hawl i lanhau ac adfer ei luniau olew. Roeddwn wedi dilyn
cwrs adfer lluniau yn ystod fy nghyfnod yn y Slade ac er ei
fod yn gallu bod yn waith araf a manwl mae rhywun yn cael
y boddhad rhyfedda o weld y darlun gorffenedig! Roedd
hyn yn sicr yn wir gyda rhai o weithiau cynnar Kyffin,
gweithiau na fydde ddim wedi gweld golau dydd heblaw
am y gwaith adfer.

Gyda'r galw parhaol am fwy o luniau Kyffin, a gyda'i
fframiwr arferol yn Llundain wedi ymddeol, mi wnes ei
gyflwyno i'r fframiwr Derek Hiscock. Roeddwn wedi
'darganfod' Derek pan oedd yn gweithio mewn stafell fach
yn nhŷ ei fam yn Aberdâr. Sylweddolais yn syth ei fod ben
ac ysgwydd uwchben y gweddill a phan symudodd i'r
Eglwys Newydd yng Nghaerdydd o dan yr enw busnes
Joints, roeddwn yn gallu ei gyflwyno i nifer o gwsmeriaid
newydd.

Mi ddaeth Kyffin a Derek yn ffrindiau da yn syth ac am
bum mlynedd ar hugain fo oedd ei brif fframiwr. Roedd ei
fframiau du gyda dim ond awgrym o gilt ysgafn ar yr
ymylon mor nodweddiadol a diffiniol o luniau olew Kyffin
Williams.

Parhaodd ein cyfeillgarwch ac er nad oeddwn yn gallu
galw i'w weld ym Mhwllfanogl mor aml ag y buaswn wedi
hoffi, mi gadwon mewn cysylltiad drwy lythyru yn gyson.
Roedd Kyffin wastad yn barod iawn ei farn ar bob agwedd
o gelf yng Nghymru ac mae cynnwys y llythyrau yn hynod
o ddiddorol ac ar adegau yn eitha dadleuol! Roeddwn wedi
cadw pob un o'i lythyrau, a'r llynedd penderfynais
gyflwyno'r casgliad i'r Llyfrgell Genedlaethol yn
Aberystwyth. Bydd hyn yn golygu y bydd eraill hefyd yn
gallu eu darllen a'u mwynhau.

Mi roedd 1987 yn flwyddyn bwysig yn fy mherthynas gyda Kyffin. Roeddwn wedi cael fy mhenodi gan Gymdeithas Gelf Gyfoes Cymru yn brynwr celf am y flwyddyn. Roeddwn wedi ymuno â'r gymdeithas yn benodol i deithio! Roedd yr ysgrifennydd, William Cleaver, yn drefnydd rhagorol a thrwyddo fo mi fues yn ffodus i ymweld â'r Unol Daleithiau, Rwsia, Sbaen, yr Eidal, Israel a Hwngari. Anghofia'i byth un trip diwrnod i Amsterdam. Gadael maes awyr y Rhws ben bore, ymweliadau ag amgueddfeydd enwocaf y ddinas ac i goroni'r cyfan pryd o fwyd pum seren yng Ngwesty'r Rembrandt, a'r cyfan am ddeg punt!

Gan fy mod wedi bod yn aelod o'r Gymdeithas am nifer o flynyddoedd cefais wahoddiad i fod yn aelod o'r Pwyllgor Gwaith. Felly gyda chyllideb o dair mil o bunnau dyma ddechrau ar y gwaith o brynu rhyw hanner dwsin o luniau ar ran y gymdeithas. Mi roedd hi'n flwyddyn bwysig i'r gymdeithas gan ei bod yn dathlu ei hanner canmlwyddiant ac roeddwn yn ymwybodol iawn o'r cyfrifoldeb. Y cwestiwn cyntaf oedd ble i ddechrau. Mewn gair, yr ateb syml oedd Kyffin!

Trefnais i fynd i'w weld ac ar ôl paned a sgwrs dyma fynd i mewn i'w stiwdio i weld beth roedd o'n mynd i'w gynnig. Dechreuais edrych ar nifer o dirluniau olew ond erbyn hyn mi roedd y rhain yn gwerthu am dros fil o bunnau. Yn anffodus doedd yr un ohonynt o fewn fy nghyllideb. Wrth edrych o gwmpas y stiwdio, gwelais bortread eitha mawr y tu ôl i bentwr o gynfasau. Gofynnais i Kyffin a gawn i gael golwg arno. Ei ymateb oedd 'Fase dim diddordeb o gwbwl gennych yn y llun yna!' Anghytunais, a phan welais y llun sylweddolais ei fod yn berffaith ar gyfer fy ngofynion. Oherwydd fy nghyfyngiadau ariannol a'r ffaith ei fod at achos da, cytunodd Kyffin i'w werthu am bum can punt. Roeddwn yn fodlon iawn ar yr hyn roeddwn wedi ei brynu, sef portread o'r rhyfeddol Mrs Rowlands, darlun sydd erbyn hyn yng nghasgliad y Llyfrgell Genedlaethol.

Awgrymodd Kyffin artistiaid eraill y dylwn brynu eu gwaith ar ran y gymdeithas, pobol fel Diana Armfield a'r cerflunydd Ivor Roberts Jones. Ar ôl treulio pnawn cyfan yn stiwdio Kyffin yn trafod ei arddull a'i dechneg, sylweddolais fy mod yng nghwmni gwir feistr ar ei grefft. Wrth i mi adael Pwllfanogl gwenodd a dweud ei fod yn teimlo fy mod yn mynd i fod o ddefnydd sylweddol iddo!!

Ar wahân i ddod â Kyffin i gysylltiad gyda'r fframiwr Derek Hiscock ac adfer nifer o'i luniau, roeddwn yn teimlo ei bod hi'n bryd ei gyflwyno i aelodau Cymdeithas Gelf Gyfoes Cymru. Am ryw reswm doedd gan aelodau'r gymdeithas ddim rhyw lawer o amser i Kyffin. Mi roedd gan yr artist Arthur Giardelli gryn ddylanwad ar aelodau'r pwyllgor a phan ddisgrifiodd Kyffin fel y Van Gogh Cymreig mewn modd digon gwatwarus, dyna oedd diwedd Kyffin o safbwynt y Gymdeithas.

Yn dilyn fy ymweliad â Kyffin a phrynu'r portread o Mrs Rowlands cefais wahoddiad gan y gymdeithas i roi cyflwyniad yn Neuadd Reardon Smith, Caerdydd, ar fy newis o luniau. Fel rydwi wedi crybwyll yn flaenorol mi rydwi wastad wedi bod yn berson eitha nerfus ac anghyffyrddus iawn o flaen cynulleidfa. Fel prynwr lluniau'r gymdeithas allwn i ddim gwrthod y cynnig, ond ar y llaw arall roedd cyflwyno anerchiad yn mynd i achosi nosweithiau di-gwsg i mi! Llai o drafferth oedd y dewis o luniau sef tirlun gan Peter Prendergast, golygfa glan y môr gan Gyrth Russell, braslun gan y cerflunydd Ivor Roberts Jones, tirlun gan Will Roberts a'r portread o Mrs Rowlands gan Kyffin Williams.

Heb siarad yn gyhoeddus o flaen cynulleidfa o'r blaen, penderfynais ofyn am help gan fy ffrind Ceri Wyn Richards a oedd yn gweithio gyda'r BBC ac sydd bellach yn cynhyrchu un o fy hoff raglenni radio, 'Caniadaeth y Cysegr'. Dyma ni'n taro ar y syniad o recordio'r cyflwyniad ar dâp. Gan fy mod yn mynd i ddefnyddio nifer o sleidiau a oedd yn golygu fod y neuadd yn weddol dywyll roeddwn yn mynd i sefyll gyda 'nghefn at y gynulleidfa â'r sgript yn fy llaw a meimio'r geiriau! Heblaw am sylw gan un neu ddau a oedd yn eistedd wrth ochr y llwyfan, dwi'n credu fod pethau wedi gweithio allan yn weddol foddhaol ... mawr yw fy nyled i Ceri Wyn!

Rhaid dweud mai'r hyn a roddodd y boddhad mwyaf i mi oedd gweld y gymdeithas a'r pwyllgor yn cynhesu yn eu hagwedd tuag at waith Kyffin Williams.

Erbyn hyn roedd gwaith Kyffin yn dechrau ymddangos yn gyson mewn arwerthiannau. Un o'r rhesymau am hyn oedd ei lwyddiant yn arddangosfeydd haf yr Academi Frenhinol.

Dwi'n cofio edrych un diwrnod drwy gatalog Celf Gyfoes Brydeinig Bonhams a gweld portread gan Kyffin yn dwyn y teitl 'The Old Gypsy Woman'. Mi dalais y swm sylweddol i mi o £1,300 am y llun, ac wedi ei osod yn un o fframiau Derek Hiscock mi roedd y darlun yn edrych yn hynod o drawiadol. Cymerais ffotograff o'r portread a'i anfon at Kyffin. Cysylltodd â mi yn syth gan esbonio nad hen sipsi oedd y ddynes yn y darlun ond Miss Parry! Cefais ei hanes yn llawn ac esboniodd sut y daeth i beintio'r portread. Erbyn hyn mae'r darlun yn rhan o gasgliad Kyffin Williams yn Oriel Môn.

Ym 1993 cytunodd Kyffin i ddod i lawr i fy stiwdio yng Nghaerdydd am dridiau i eistedd ar gyfer portread. Fe arhosodd gyda Betty a David Evans a oedd yn byw yn agos ataf ym Mhenylan. Betty oedd cadeirydd Cymdeithas Gelf Gyfoes Cymru ac mi roedd hi a'r llywydd, y Barnwr Bruce Griffiths, erbyn hyn yn edmygwyr mawr o'r dyn a ystyriwyd gan y gymdeithas ar un adeg fel rhywun hollol amherthnasol. Roedd hi fel tasa'r mab afradlon wedi dychwelyd!

Yn ystod y tridiau yma fe ddes i adnabod Kyffin hyd yn oed yn well a thyfodd fy edmygedd. Gyda rhyw bendantrwydd unigryw, personoliaeth liwgar ac arddull hynod o bersonol roedd wedi goresgyn nifer o rwystredigaethau, a gelyniaeth ar adegau, i ddod yn artist mwyaf poblogaidd Cymru. Mi roedd yn 'frand' yr oedd pawb eisiau bod yn rhan ohono. Mi roedd pobol yn ciwio dros nos y tu allan i Galeri'r Albany i brynu ei luniau! Gofynnais iddo beth roedd o'n ei feddwl o 'Kyffinmania' gan awgrymu cyn hir y byddai mygiau coffi Kyffin a chrysau T gyda 'Dwi'n Caru Kyffin' arnynt. Ei ymateb? 'Mi faswn i wrth fy modd!'

Roeddwn yn ymwybodol nad oedd Kyffin byth yn cymryd mwy na diwrnod i gwblhau darlun, felly doedd dim syndod ar ddiwedd yr ail ddiwrnod iddo ddweud, 'Mawredd mawr, ydach chi heb orffen eto?!' Roeddwn hefyd wedi clywed pan fyddai Kyffin wrthi yn peintio portread ei fod yn weddol dawel gydag ychydig iawn o sgwrsio. Roeddwn i, ar y llaw arall, i'r gwrthwyneb! Roedd y ffaith ei fod wedi cytuno i eistedd am bortread gennyf yn golygu llawer i mi.

Er bod sawl hunanbortread ohono roedd eistedd am bortread gan artist arall yn brofiad dieithr iddo. Penderfynodd nad oedd am weld y darlun yn datblygu ond yn hytrach ei fod am aros i weld y portread gorffenedig. Pan gwblhawyd y llun roeddwn yn eitha nerfus. Beth oedd un o artistiaid portreadau gorau ei genhedlaeth yn mynd i feddwl o fy ymdrech i? Edrychodd ar y darlun mewn tawelwch am rai munudau cyn dweud ei fod yn fodlon iawn ac aeth ymlaen i fy llongyfarch yn wresog. Yna ymhen ychydig dechreuodd frawddeg gyda'r gair 'Ond'. Doedd gen i ddim syniad beth i'w ddisgwyl! Yr 'ond' oedd ei fod yn teimlo nad oedd y bawd ar y llaw dde ddim cweit yn iawn, fymryn yn rhy hir! Fe wnes i ei sicrhau y byddwn yn perfformio llawdriniaeth (yn llythrennol!) ar y bawd! Gwenodd gan redeg ei fysedd drwy ei fwstash. Roedd hi wedi bod yn dridiau bythgofiadwy ac roeddwn yn fwy na bodlon gyda'i ymateb. I goroni'r cyfan, prynwyd y portread gan y Llyfrgell Genedlaethol fel rhan o'u casgliad Kyffin Williams.

Er ei fod yn teimlo nad oedd ei berthynas gyda'r Amgueddfa Genedlaethol, ac yn sicr gyda Chyngor Celfyddydau Cymru, ddim yr hyn y byddai wedi ei ddymuno, roedd wrth ei fodd gyda'r Gymdeithas Gelf Gyfoes. Bob tro y byddai'n eu hannerch mi fyddai'r tocynnau'n gwerthu i gyd o fewn dim ac mi fyddai yn wirioneddol edrych ymlaen at y cwestiynau ar ddiwedd ei anerchiad, pryd y byddai'n gallu bod yn bryfoclyd o ddadleuol!

Ym 1999 urddwyd Kyffin yn farchog gan y Tywysog Charles mewn seremoni yng nghastell Caerdydd. Y noson honno, roedd Mary Yapp wedi trefnu cinio arbennig i ddathlu'r achlysur ac i longyfarch Kyffin yn ei chartref y tu allan i Gaerdydd. Gwahoddwyd nifer fechan o ffrindiau agos i'r achlysur, a theimlwn ei bod yn anrhydedd cael gwahoddiad – yr unig un o ddau artist; Harry Holland oedd y llall. Yn dilyn diwrnod llawn a phrysur, roedd Kyffin mewn hwyliau da yn difyrru'r gwesteion. Mi roedd wedi cyrraedd yr uchelfannau ... ond ddim cweit!

Pan gefais gyfle i gael gair gydag o mi wnes i sôn am ei holl lwyddiannau a gofyn os oedd na unrhyw uchelgeisiau heb eu cyflawni. 'Oes,' oedd yr ateb yn syth. 'Mi faswn wrth fy modd cael gwahoddiad i fod yn westai ar *Desert Island Discs*,' ac yna chwaraeodd ei gerdyn gwyleidd-dra ffug a gofyn, 'Ond pam mewn gwirionedd fasan nhw eisiau hen artist anhysbys fel fi?'

Sylweddolais yn syth mai dyma fyddai fy sialens nesaf ganddo! Atebais yn hyderus, 'Gadewch y cyfan i mi,' heb unrhyw syniad yn y byd sut roeddwn i'n mynd i gyflawni'r fath dasg!

Fy unig gyswllt gyda'r BBC yn Llundain oedd John Jones, a oedd wedi gadael adran gerddoriaeth BBC Cymru i weithio fel cyhoeddwr gyda Radio 3. Mi roedd John wedi bod yn allweddol yn cynnau fy niddordeb mewn cerddoriaeth ac yn arbennig yn un o'i ffefrynnau, Stephen Sondheim. Gofynnais iddo os oedd ganddo unrhyw gyngor am *Desert Island Discs*. Teimlai mai'r syniad gorau oedd ysgrifennu'n syth at Miranda Birch, cynhyrchydd y rhaglen, yn amlinellu'r rhesymau pam roeddwn yn teimlo y dylid gwahodd Kyffin i fod yn westai. Cefais ateb yn syth ganddi yn dweud, oherwydd fy mod wedi cyflwyno achos mor argyhoeddiadol, ei bod hi'n awyddus iawn i'w gael ar y rhaglen er nad oedd hi erioed wedi clywed amdano! Awgrymais iddi fynd draw i'r Academi Frenhinol a phrynu copi o'i lyfrau *Across The Straits* ac *A Wider Sky* ac y dylai hynny ei hargyhoeddi. Mi wnaeth hyn ac atebodd yn ôl gan ddweud ei bod wedi darllen y llyfrau a'u llwyr mwynhau ac a fyddai'n bosib cael cyfeiriad a rhif ffôn Kyffin. Tic mewn blwch arall!

Ymhen rhyw wythnos mi gefais alwad gan Kyffin. Roedd o ar ben ei ddigon. 'Wnewch chi byth ddyfalu beth sydd wedi digwydd: dwi wedi cael gwahoddiad i fod yn westai ar *Desert Island Discs*!' Mewn rhyw fis mi roedd ar y trên o Fangor i Euston lle byddai'n cael ei gyfarfod a'i gymryd i'r stiwdio i recordio'r rhaglen gyda Sue Lawley. O ganlyniad i'r cysylltiad trefnodd Miranda Birch i ymweld â Kyffin yn Sir Fôn a dechreuodd gasglu ei waith!

Mi ddaeth un o'i geisiadau olaf pan oedd yn ei wythdegau ac yn dioddef o anhwylderau amrywiol. Gofynnodd i mi a faswn yn gallu cysylltu gyda Barry

Morgan, Archesgob Cymru, a gofyn iddo a fyddai'n fodlon arwain ei angladd. Roedd Barry wedi bod yn ffrind da i mi am rai blynyddoedd fel cyd-golffiwr a hefyd rhywun oedd yn casglu fy nhirluniau yn ogystal ag eistedd yn y stiwdio sawl gwaith ar gyfer portreadau.

Cytunodd Barry yn syth i alw i'w weld y tro nesaf y byddai yn y gogledd. Sgwrsiodd Kyffin a Barry am hydoedd gan roi'r byd yn ei le. Dim ond pan oedd ar fin gadael y gofynnodd Kyffin iddo a fyddai'n fodlon gwasanaethu yn ei wasanaeth angladd. Ar ôl iddo gytuno clywais gan Barry fod Kyffin wedi ychwanegu gyda gwên ddireidus ei fod wedi gobeithio cael Archesgob Caergaint i arwain yr angladd, ond gan ei fod yn siŵr na fyddai hwnnw ar gael, y byddai'n rhaid i Barry wneud y tro! Mor nodweddiadol o hiwmor Kyffin!

Y darluniau gan Kyffin sy'n apelio fwyaf i mi ydi'r rhai a luniwyd pan oedd yn cael trafferth i ffurfio arddull. Mi fyddai'r rhain wedi cael eu gwneud ddiwedd y pedwardegau hyd at ganol y pumdegau ac roeddent yn cynnwys ei ddarluniau o olygfeydd o gwmpas Llundain, darluniau sydd wedi cael eu hanwybyddu ychydig oherwydd poblogrwydd ei dirluniau o ogledd Cymru. Yn ystod y cyfnod yma mi roedd yn arbrofi rhwng brwsh a chyllell paled ac weithiau'n defnyddio cymysgedd o'r ddau. Mi rydwi wedi bod yn hynod o ffodus i fod wedi bod yn berchen ar un neu ddau o'r rhain yn y gorffennol. Yn debyg i Julian Trevelyan, roedd ganddo ymdeimlad naturiol o ran cynllunio. Mi fyddai'n pendroni a ddylai gynnwys polyn telegraff ai peidio! Dwi'n ei gofio yn dweud wrtha i, 'Diolch i'r drefn nad ydi'r cyhoedd yn gwybod y gwahaniaeth rhwng y lluniau da a'r drwg!'

Wrth imi sgwrsio un tro gyda Huw Owen o'r Llyfrgell Genedlaethol dywedodd ei fod yn teimlo fod Kyffin yn bryderus ynglŷn â sut y byddai'n cael ei gofio. Fel nifer o artistiaid da, gwnaeth yn siŵr y byddai ei enw yn goroesi. Gellir darllen hanes ei fywyd yn ei ddau hunangofiant. Mi roedd ei brintiau yn fforddiadwy ac ar gael i bawb. Cyflwynodd luniau i amgueddfeydd bach yn y sicrwydd y byddent yn cael eu harddangos. Mae ganddo arddangosfa barhaol yn Oriel Ynys Môn ac mae gan y Llyfrgell Genedlaethol gasgliad cynhwysfawr o'i waith. Roedd wastad wrth ei fodd yn ymweld â'r Llyfrgell ac mi roedden nhw yn eu tro yn ei drin fel y trysor cenedlaethol yr oedd.

Meithrinodd bobl y cyfryngau fel ffrindiau a gwelodd ei waith ar waliau tai ledled Cymru. Roedd yn fraint ei adnabod yn dda ac mi roeddwn i'n ei hystyried hi'n fraint pan ddywedodd wrthyf, 'Diolch David, dach chi wedi bod o ddefnydd mawr i mi!'

Pennod 11

Disc a Dawn

Y gobaith gyda'r galeri oedd ennill digon o incwm i gynnal fy ngwaith fel artist ond nid dyna beth ddigwyddodd! Oherwydd llwyddiant y galeri mi roedd 'na rywun neu'i gilydd yn galw i mewn yn gyson naill ai am sgwrs neu i weld yr arddangosfa ddiweddara. Golygai hyn nad oeddwn yn gallu canolbwyntio ar fy ngwaith arlunio fel y baswn wedi ei hoffi. Roeddwn ar fin torri fy nghysylltiadau swyddogol gyda'r galeri ac yn pendroni o ble roedd y geiniog nesa yn mynd i ddod pan gefais alwad gan hen ffrind o Bwllheli, Endaf Emlyn.

Mi roedd Endaf a'r teulu wedi bod yn gymdogion agos yn y dre, ac Endaf yn ymwelydd cyson i fy sioeau sinema yn y tŷ a *Punch & Judy* ar y prom pan oedden ni'n blant. Er hyn, y cof parhaol sydd gennyf ohono yw ei weld ar lwyfan Neuadd y Dre Pwllheli yn rhoi datganiad ar y ffidil. Mi roedd pawb yn y gynulleidfa'n gallu gweld a gwerthfawrogi ei ddawn gerddorol ac er ei fod ar y pryd yn byw ychydig yng nghysgod ei chwaer Shân, mi roedd ei dalent a'i botensial yn amlwg i bawb.

Roeddwn yn edrych ymlaen i'w weld eto ac fe

benderfynom gyfarfod am goffi
yn yr Albany Grill a oedd wedi
ei leoli yn gyfleus iawn o dan y
galeri. Esboniodd ei fod wedi
cael gwahoddiad gan y BBC i
gyflwyno slot mewn cyfres o
raglenni byw bob prynhawn
Sadwrn o'r enw *Disc a Dawn*.

Aeth ymlaen i esbonio ei
fod i adolygu tair cân bop o'r
Siart Brydeinig a meddyliodd y byddai'n syniad da darlunio
un o'r caneuon i wneud yr holl beth yn fwy gweledol.
Gofynnodd a oedd diddordeb gennyf. Rhaid cyfaddef,
roeddwn yn eitha petrusgar ar y cychwyn gan fod hyn yn
faes gwahanol iawn i mi, ond sylweddolais nad oedd gennyf
unrhyw ddewis mewn gwirionedd – roeddwn angen yr
arian! Dyma oedd fy nghyflwyniad i La La Land Cymru!

Y cam nesaf oedd trefnu cyfarfod gyda Ruth Price,
cynhyrchydd y gyfres, a'r cyfarwyddwr David Richards.
Roeddent yn cytuno gydag Endaf fod hyn yn syniad da, felly
dyma ddechrau ar y gwaith o ddarlunio'r caneuon. Cofiaf
yn iawn mai'r gân gyntaf oedd 'Summer in the City' gan
The Loving Spoonful.

Y cof arall sydd gennyf ydi eistedd o flaen fy hen
chwaraewr recordiau Dansette yn chwarae'r gân drosodd a
throsodd er mwyn ceisio ysgrifennu'r geiriau ar ddarn o
bapur. Roedd hi'n dipyn o her i mi ddeall acen
Americanaidd prif leisydd y band John Sebastian!
Doeddwn i erioed wedi gorfod gweithio o fewn y fath
gyfyngiadau amser o'r blaen. Dim ond deuddydd o
dderbyn y record i feddwl am ryw fath o gynllun stori
priodol i gyd-fynd efo'r gân. Roeddwn yn awyddus i fod yn
bresennol yn y stiwdio yn ystod pob darllediad o'r rhaglen
i weld sut roedd fy narluniau'n ymddangos ar y sgrin. Mi

roedd y delweddau wedi'u gwneud drwy ddefnyddio pen, inc a golch du a gwyn gan ein bod yn dal i fod yn oes teledu du a gwyn! Roedd rhaid paratoi'r lluniau i gyd ar gardiau a oedd yn mesur deuddeg modfedd o hyd a naw modfedd o led. Fel arfer roedd angen rhyw ugain i bump ar hugain o luniau i lenwi dwy funud a hanner o amser ar y sgrin.

Dwi'n cofio un wythnos i Ddawnswyr Kitty Slocombe fethu troi i fyny yn y stiwdio am ryw reswm a'r cynhyrchydd yn gweiddi 'Chi, chi a chi ar y llawr dawnsio NAWR!' Roeddwn i yn un o'r 'Chi's' – sôn am fod yn y lle anghywir ar yr amser anghywir! Gwisgodd Coleen O'Brien, y ferch gwisgoedd, fi fel pysgotwr Ffrengig gyda chap Breton a siwmper gwddf polo glas a gwyn. A dyna lle roeddwn yn neidio i fyny ac i lawr o flaen y camerâu. Un fantais o raglen byw ydi'r ffaith nad oes unrhyw gofnod o fy mherfformiad yn bodoli (gobeithio!)

Problem arall oedd gennyf ar y pryd oedd fy mod yn y broses o symud allan o fy fflat yn y Galeri ac yn ceisio dod o hyd i lety newydd. Dwi'n cofio i'r lluniau ar gyfer 'Sitting in the Park' gan Georgie Fame a 'No Milk Today' Herman's Hermits gael eu gwneud ar hen fwrdd gwisgo mewn ystafell wely bach ar lawr uchaf Gwesty'r Richmond, fy lety dros dro!

Er gwaethaf hyn mi roedd y cyfnod yma yn un hynod o hapus ac yn arbennig o werth chweil yn enwedig pan gefais alwad gan David Richards y cyfarwyddwr yn dweud ei fod wedi ei blesio gymaint gyda fy lluniau ar gyfer 'Good Vibrations' y Beach Boys ei fod am eu ffilmio a'u hail-ddangos yr wythnos ganlynol!

Mi roedd y Pennaeth Rhaglenni Ysgafn, Meredydd Evans, wedi rhoi sialens i Ruth Price i ddod o hyd i'r gorau yn y byd pop Cymraeg ar gyfer y gyfres newydd. Llwyddodd nid yn unig i 'ddarganfod' Endaf ond hefyd mi roedd y Dafydd Iwan ifanc yn berfformiwr cyson ar y rhaglen yn ogystal â Meic Stevens, Heather Jones, Hogiau'r Wyddfa, Y Diliau, Johnny Tudor ac Iris Williams.

Y rheolwr llawr oedd Pennant Roberts a aeth ymlaen i gyfarwyddo cyfresi hynod o boblogaidd fel *Dr Who*, *The Onedin Line*, *Softly*, *Softly*, *Tenko* a *Howards' Way* i'r rhwydwaith. Y cyflwynydd oedd Valmai Jones, actores ifanc ddeinamig o Griccieth a oedd newydd gwblhau cwrs yng Ngholeg Cerdd a Drama Caerdydd. Mi roedd y gymysgedd yma o ganu pop a dawns i weld yn gweithio, gyda'r rhaglenni'n tyfu mewn poblogrwydd o un wythnos i'r nesaf. Golygai hyn yn anorfod y byddai rhaid i mi roi saib i'r gwaith portreadu am gyfnod.

Yn ystod y cyfnod yma mi roedd adran adloniant ysgafn y BBC wedi ei gartrefu dros dro mewn adeilad modern yn Ffordd Casnewydd. Tra'n mynychu cyfarfodydd wythnosol *Disc a Dawn* i drafod pa record yr oeddwn yn mynd i'w darlunio ar gyfer y rhaglen nesa, roeddwn yn cael y cyfle i gyfarfod a dod i nabod pawb oedd yn gysylltiedig â'r 'busnes'.

Roedd Ryan Davies a Ronnie Williams yn brysur ddod yn sêr adnabyddus a phoblogaidd, Rhydderch Jones yn cyfarwyddo, ysgrifennu sgriptiau a dramâu, a'r amryddawn Hywel Gwynfryn ifanc yn gallu troi ei law at unrhyw beth. O dan arweiniad Merêd teimlais fod y pwerdy o dalent yma yn datblygu i fod yn rhyw fath o Hollywood bach Cymreig!

Yn sgil y gwaith roeddwn yn ei wneud i *Disc a Dawn*, dechreuais gael cynnig mwy o waith darlunio i'r BBC. Cefais wahoddiad gan John Roberts Williams a Geraint Stanley Jones i ddod i mewn bob prynhawn i baratoi lluniau i gyd-fynd gyda rhagolygon y tywydd, ar gyfer y rhaglen gylchgrawn nosweithiol *Heddiw*. Cyn hir roeddwn hefyd yn darlunio ar gyfer amrywiaeth o eitemau i'r rhaglen, o'r canlyniadau criced i'r prisiau anifeiliaid ffarm diweddara!

Mi wnaeth hyn arwain at gyfle i fynd yn ôl i'r gogledd i ymuno â Hywel Gwynfryn fel ymgynghorydd celf ar gyfer ffilm am gasgliad celf Syr Michael Duff. Wrth ffilmio yn y Faenol roeddwn yn hynod o bles o ddod ar draws dau o luniau gan yr artist Eidalaidd Canaletto a oedd wedi cael eu diystyru. Teg dweud fod Syr Michael yn hynod o bles hefyd!

Tua'r adeg yma mi wnaeth Dyfed Glyn Jones greu cwis yn dwyn y teitl *Dyna Wal* a oedd yn seiliedig ar fy lluniau cartŵn. Cefais gynnig hefyd gan Merêd i'w helpu gyda chyfres newydd o'r enw *Lloffa* lle byddai Cynan, Syr T.H. Parry Williams, Frank Price Jones ac eraill yn trafod arferion gwerin Cymru.

Erbyn hyn mi roeddwn yn gweithio ar raglenni plant, adloniant a chrefyddol yn rheolaidd a heb sylweddoli fod 'na anniddigrwydd yn y cefndir. Mi roedd adran graffeg y BBC yn anfodlon fod rhywun llawrydd yn dwyn eu gwaith ac oni bai fy mod yn ymuno â'r BBC yn swyddogol ac yn llawn amser yna mi roedd rhaid rhoi terfyn ar y gwaith llawrydd! Y cyngor a gefais gan Merêd oedd peidio ymuno â'r adran. Roedd o'n gerddor creadigol ac yn arbenigwr ar ganu gwerin ond bellach yn fwy o weinyddwr. Ofnai y byddai fy nghreadigrwydd fel artist yn dioddef pe bawn yn gweithio llawn amser i'r gorfforaeth ... cyngor doeth!

Roedd y cyfarfod a gefais gydag Endaf yn yr Albany Grill wedi arwain at gyfnod hynod o hapus yn fy mywyd, a minnau wedi bod yn ddigon ffodus i wneud sawl cyfeillgarwch parhaol. Un o'r rheini yn sicr oedd Hywel Gwynfryn. Dwi'n ei gofio yn iawn ar ddiwrnod y *Disc a Dawn* cyntaf yn dod i mewn i'r stiwdio i ddymuno'n dda i'w ffrind Endaf. Yn dal ac yn llawn egni a brwdfrydedd gyda ffraethineb cyflym, roedd hi'n amlwg fod 'na ddyfodol disglair i'r 'Dyn ei hun'. Cefais gyfle i gydweithio ar y rhaglen nosweithiol *Heddiw* a hefyd i ddarlunio ei lyfr jôcs a oedd yn seiliedig ar ei raglen radio *Helo, sut dach chi?*.

Drwy ei gysylltiadau dwi'n cofio mynd yn ei gwmni i weld y digrifwr Bob Monkhouse yn y Clwb Double Diamond yng Nghaerffili, y Small Faces yn Theatr y Capitol a ffilmiau fel *Soldier Blue* a oedd yn ei farn o yn gampwaith ond yn fy marn i yn ofnadwy! Dwi'n cofio hefyd treulio awr neu ddwy yn y Charleston Club yn Heol Bute, ffefryn gyda'r gymuned adloniant ysgafn. Ar adegau fel hyn mi fyddai ei ffrind Derek Boote, y cerddor amryddawn, hefyd yn ymuno gyda ni.

Drwy fy nghysylltiad â Hywel mi ddeuthum i adnabod ei wraig gyntaf, Eirianedd, a oedd yn adolygu cyngherddau cerddoriaeth glasurol i'r *Guardian*. Cefais fy rhyfeddu pa mor gyflym roedd hi'n gallu ysgrifennu adolygiad, weithiau yn ei ffonio i'r papur o fewn awr i'r perfformiad orffen! Yn ieithydd profiadol ac yn ferch i'r bardd John Ormond, roedd ganddi eirfa anhygoel a dawn naturiol i ysgrifennu. Does dim rhyfedd i mi ofyn iddi ysgrifennu'r rhagair ar gyfer fy arddangosfa yn y Llyfrgell Genedlaethol yn 2002.

Fel rydwi wedi crybwyll, mi roedd y cyfnod yma yn un hynod o gyffrous ac yn un allweddol yn natblygiad darlledu yng Nghymru. Un wers a ddysgais i gan Hywel Gwynfryn oedd i beidio byth ag aros i'r ffôn ganu ond i fentro. Gwir bob gair!

Pennod 12

Peintio'r Prins

Penderfynais weithredu ar gyngor Hywel. Codais y ffôn a chysylltu gyda Raymond Parry, yr athro o Eton roeddwn i wedi'i gyfarfod yn yr arddangosfa yn Neuadd y Dre, Pwllheli. Rhyddhad mawr oedd clywed fod y cynnig yn dal i sefyll ac yr edrychai ymlaen at fy nghroesawu .

Felly yn gynnar un bore, dyma lenwi'r car gyda brwsys, paent a chynfasau a gyrru i Eton. Cefais groeso arbennig gan Ray a'i wraig Margaret a oedd yn brifathrawes yn ysgol Heathfield, Ascot. Mi gefais fy nghyflwyno i ffrindiau'r ddau, i gyd yn awyddus i mi bortreadu eu plant. A chwarae teg i Ray, mi roedd yn driw i'w air a threfnodd i'r Arglwydd Hailsham ddod drosodd o'i gartref yn Putney i eistedd ar gyfer portread. Roedd y darlun yn llwyddiant a dyma'r Arglwydd Hailsham yn ei brynu yn y fan a'r lle. Roedd hyn i gyd yn gyhoeddusrwydd gwych i mi, yn enwedig pan wnaeth Kenneth Rose yn y golofn 'Peterborough' yn y *Telegraph* ysgrifennu am y portread a chynnwys delwedd ohono. I goroni'r cyfan, cafwyd dyfyniad gan Hailsham ei hun yn dweud, 'Dyma un o'r portreadau gorau o'm teulu dwi wedi ei weld!'

Mi wnaeth y cyhoeddusrwydd a gefais yn sgil y portread arwain yn anuniongyrchol i mi gael comisiwn i bortreadu'r Tywysog Charles yn derbyn rhyddid Dinas Caerdydd.

Roeddwn wedi cyfarfod yr Henadur Lincoln Hallinan

mewn arddangosfeydd yng ngaleri yr Albany. Fe ddywedodd y byddai'n fodlon gofyn i'r Tywysog eistedd i mi ar gyfer portread ar yr amod y byddai o hefyd fel Arglwydd Faer yn cael ei gynnwys yn y darlun. Mi roedd hyn yn mynd i achosi pob math o broblemau a sawl cur pen i mi am nifer o resymau, gan gynnwys sut y byddai cyfansoddiad y darlun yn gweithio. Er hyn, rhaid oedd bod yn ymarferol a sylweddoli ... heb y Maer – dim Prins! Gwyddwn hefyd y byddwn yn darlunio'r ddau ar wahân.

Trefnwyd i mi gyfarfod y Tywysog am naw o'r gloch ym Mhalas Buckingham ar fore tywyll ym mis Tachwedd. Gwyddwn yn syth fod y diffyg golau naturiol yn mynd i achosi problemau i mi. Cefais fy arwain i'r Ystafell Falconi a oedd yn edrych dros y Mall. Roedd y stafell wedi'i goleuo gan siandelîr anferth a doedd bron ddim golau naturiol o'r tu allan. Mi roedd y sefyllfa'n ofnadwy a'r posibilrwydd o bortread llwyddiannus yn annhebygol.

Cerddodd y Tywysog i mewn i'r ystafell yn y wisg filwrol swyddogol yr oedd wedi ei gwisgo wrth dderbyn rhyddid Dinas Caerdydd ychydig wythnosau ynghynt. Yn ystod yr eisteddiad a oedd yn awr o hyd ni fu llawer o sgwrs rhyngom ond darganfûm mai ei hoff artist ar y pryd oedd y naturiaethwr a'r arbenigwr adar Peter Scott. Fel roedd hi'n digwydd, roedd y Tywysog wedi trefnu i fynd i'w gyfarfod yn ei gartref yn Slimbridge unwaith roedd y sesiwn wedi gorffen.

Dyna yn union beth ddigwyddodd; fe adawodd yn syth gan fy ngadael ar ben fy hun heb unrhyw syniad am y ffordd allan. Dechreuais gerdded ar hyd coridorau ysblennydd a chlywais leisiau yn dod allan o un ystafell. Gan fod y drws yn rhannol agored penderfynais edrych i mewn ac er mawr syndod imi dyna ble roedd yr artist Eidalaidd Pietro Annigoni yn cwblhau ei ail bortread o'r Frenhines. Mi roedd ei bortread cyntaf ohoni ym 1953 yn gampwaith ac yn un o bortreadau brenhinol mwyaf eiconig yr ugeinfed ganrif. Ar y llaw arall, mi roedd yr ail bortread yn fwy arbrofol, a'r ymateb braidd yn negyddol. Ar ôl bod yn dyst i'r darn o hanes yna, llithrais allan o'r ystafell a'r Palas i brysurdeb dinas Llundain.

Yn ôl yng Nghaerdydd y diwrnod canlynol mi roedd y peiriant cyhoeddusrwydd eisoes yn gweithio. Galwodd y newyddiadurwr Brian Hoey yn fy fflat yn Heol Waterloo i recordio cyfweliad ar gyfer y rhaglen radio *Today* a oedd yn cael ei chyflwyno gan Jack de Manio. Disgrifiais fy amser yn y Palas a'r cefndir i'r portread a oedd yn bell o'i gwblhau. Fy nghyfweliad oedd yr eitem olaf ar y rhaglen y bore canlynol gyda Jack de Manio yn dweud 'He sounds a really nice chap!'

Yn ymwybodol mai brasluniau ar gyfer dim ond hanner y darlun oedd gennyf, rhaid oedd trefnu cael sesiwn arlunio gyda'r hanner arall sef Maer Caerdydd, Syr Lincoln Hallinan. Trefnwyd i'r sesiwn ddigwydd yn y Mansion House, Ffordd Richmond, sef cartref swyddogol y Maer. Roedd gen i syniad yn fy mhen am gyfansoddiad y darlun gan fod y seremoni wedi'i chynnal fisoedd yn ôl. Ar ôl gweld ffotograffau swyddogol o'r seremoni penderfynais osod Syr Lincoln yn wynebu'r Tywysog ac yn cyflwyno'r blwch arian iddo. Ar gynfas anferth wyth troedfedd o hyd, dechreuais ar yr hyn yr oeddwn yn meddwl fyddai'n gampwaith. Haws dweud na gwneud!

Fe baentiwyd y rhan fwyaf o'r darlun yn fy stiwdio, gan gymryd bron i flwyddyn i mi ei gwblhau. Gyda phortreadau'r cyfnod Elisabethaidd mewn golwg, penderfynais gynnwys yr arfbais brenhinol a Dinas Caerdydd. Roedd y manylder cywrain angenrheidiol i'w darlunio yn glir yn rheswm arall pam y cymerodd gyhyd i gwblhau'r portread. Gyda'r gwaith gorffenedig yn barod, y cam nesaf oedd cael cymaint o gyhoeddusrwydd â phosib i'r darlun. Gan fod fy nhad wedi gweithio'r rhan fwyaf o'i fywyd i Fanc y Midland, meddyliais falle eu bod nhw yn le da i ddechrau. Roedd yn rhyddhad mawr i mi pan glywais eu bod nid yn unig yn fodlon delio gyda chyhoeddusrwydd y darlun ond hefyd yn awyddus i'w noddi!

Pennaeth Cysylltiadau Cyhoeddus Banc y Midland oedd Cymro o Benarth o'r enw Frank Pearce a oedd yn gweithio ym mhrif swyddfa'r Banc yn Llundain. Cysylltodd gyda mi a fy ngwahodd i gael cinio yn Llundain i drafod unrhyw syniadau cyhoeddusrwydd oedd gennyf. Yn ymuno gyda ni yn ystod y cinio roedd ei ddirprwy Duncan Burns. Esboniodd Frank y bydde Duncan yn cynorthwyo gyda'r trefniadau. Er hyn roedd yn gwbl amlwg i mi mai Frank fydde'n gyfrifol am bob penderfyniad. Rhaid i mi ddweud, mi ddysgais wers bwysig gan Frank Pearce, gwers dwi'n ei chofio hyd heddiw.

Roedd yn ddidostur wrth weithio i gael penderfyniadau, nid wythnos nesaf na yfory ond heddiw! Druan o Duncan, roedd yn neidio bob tro y bydde Frank yn agor ei geg! Y llwyfannu cywir, ffabrig y llenni, y goleuo, beth bynnag oedd ei angen, mi roedd yn cael ei wneud yn y fan a'r lle ac yn syth! Doeddwn i erioed wedi gweld y math yma o noddi corfforaethol o'r blaen. Proffesiynoldeb ar raddfa na faswn byth wedi ei ddychmygu!

Ar y pedwerydd o Fai 1970, dadorchuddiwyd y darlun yn swyddogol yn Neuadd y Ddinas, Caerdydd. Er mai Banc y Midland oedd yn noddi'r llun, fe'i comisiynwyd gan gynrychiolwyr busnes a diwydiant yng Nghymru. Yn bresennol yn y seremoni oedd trawstoriad o'r wasg genedlaethol. Mi glywais un newyddiadurwr yn dweud 'Dwi'n clywed na tydi'r Tywysog ddim ar ei ben ei hun yn y darlun ... dim siawns felly am unrhyw sgŵp byd eang!' Roedd cynnwys Syr Lincoln Hallinan yn y darlun yn barod yn dechrau achosi problemau, ond roedd gwaeth i ddod!

Penderfynodd Syr Lincoln a'i wraig gwyno yn gyhoeddus fy mod wedi gwneud iddo edrych ddeng mlynedd yn hŷn a deg pwys yn drymach! Fe'm gwahoddwyd yn ôl i Neuadd y Ddinas i 'addasu' y darlun. O leia fe gafodd y *Sun*, y *Daily Express* a'r *Daily Mail* eu sgŵp – 'Lord Mayor gets facelift in Royal Portrait!'

Ar ôl y dadorchuddio trefnwyd gan Fanc y Midland i'r darlun gael ei arddangos yn siop enwog Harrods yn Knightsbridge am bythefnos ac yna yn Howells yng Nghaerdydd am wythnos. Trefnodd y Banc hefyd i mi gael arddangosfa o bortreadau yn yr Eisteddfod Genedlaethol yn Rhydaman gyda'r portread o'r Tywysog yn cael lle blaenllaw. Ar ôl hyn i gyd fe ddychwelodd y darlun i Neuadd y Ddinas i'w arddangos am gyfnod cyn cael ei roi o'r neilltu rywle yn llawr isaf y Neuadd, lle mae'n aros hyd heddiw!

Does dim dwywaith fod y darlun wedi agor sawl drws i mi. Un o'r gwahoddiadau mwyaf pleserus oedd cyfle i ymddangos ar un o fy hoff raglenni teledu o'r cyfnod, *Going For a Song*. Fy nghyd-westai ar y rhaglen oedd actores ifanc hynod o swynol o'r enw Felicity Hain. Roedd hi'n gwmni difyr gyda rhyw ddiniweidrwydd naturiol a oedd yn apelio i mi. O fewn ychydig funudau o'i chyfarfod roedd hi wedi creu cryn argraff arnaf.

Roeddwn yn awyddus i beidio ymddangos yn anwybodus ar y rhaglen felly bûm wrthi yn ddiwyd yn adolygu prisiau'r math o hen greiriau a oedd i weld yn ymddangos ar y rhaglen yn wythnosol. Rhaid cyfaddef, gan imi fod yn dipyn o 'swot', ni chefais syndod pan gyhoeddodd Max Robertson y cyflwynydd mai fi oedd enillydd yr wythnos a bod fy amcanbrisiau wedi bod yn weddol agos. Fy ngwobr oedd tancard arian o'r cyfnod Georgaidd. Gofynnodd Max beth oeddwn yn debygol o'i wneud gyda'r llestr. Penderfynais chwarae rhan y gŵr bonheddig perffaith a dweud fy mod am i Felicity ei dderbyn! Gwenodd yn siriol arnaf ac am gyfnod byr daethom yn ffrindiau da.

Roeddwn wedi llwyr fwynhau'r profiad o ymddangos ar y rhaglen a chlywed un o fy arwyr Arthur Negus yn disgrifio'r eitemau yn ei ffordd unigryw ei hun. Hyd heddiw mae rhai o'i ddisgrifiadau yn aros yn fy nghof. Enghraifft nodweddiadol o'i arddull ar y diwrnod oedd, 'This majestic piece of walnut simply oozes quality, with the bronze fittings cascading like dribbling candle wax.' Perffaith!

Pan gafodd y rhaglen ei darlledu cefais alwad ffôn gan Ron Green yn cynnig can punt a hanner i mi am y tancard arian yr oeddwn wedi'i ennill. Pan esboniais fy mod wedi ei roi yn anrheg i'm cyd-gystadleuydd, rhoddodd y ffôn i lawr arnaf. Llais o'r gorffennol, ond yn amlwg yr un hen Ron!

Byddai dros ddeg mlynedd ar hugain yn mynd heibio cyn i mi gyfarfod y Tywysog Charles eto. Cefais gomisiwn gan Gymdeithas Amaethyddol Frenhinol Cymru am bortread ohono ar gyfer eu canolfan yn Llanelwedd. Mi roedd y profiad y tro yma mor wahanol i'r tro cyntaf i mi gyfarfod y Tywysog.

Cefais wahoddiad i fynd i Highgrove i drafod cyfansoddiad y darlun ac i drefnu amserlen. Ar ôl cyrraedd cefais fy arwain i ystafell fawreddog ac ymhen ychydig funudau cerddodd y Tywysog i mewn gan fy nghyfarch a holi ynglŷn â 'ngwaith. Roedd yn gwisgo siwt ffurfiol gyda bathodyn Cymdeithas y Gwartheg Duon yn y llabed. Awgrymais falle y bydde rhywbeth llai ffurfiol fyddai'n gweddu i'r awyr agored yn fwy pwrpasol. Cytunodd, ac heb unrhyw oedi trefnwyd i ddod â'i siaced Barbour iddo gyda chenhinen Bedr yn y llabed.

Cofiais weld llun ohono yn y wasg yn ddiweddar yn cerdded yn Ardal y Llynnoedd yng ngogledd Lloegr ac yn cario ffon fugail. Pan holais ynglŷn â'r ffon trefnwyd iddi fod yn ei law o fewn munudau! Gyda'r cyfansoddiad, y dillad a'r props wedi eu dewis a'r Tywysog yn hapus, dechreuais fraslunio a chymryd ychydig ffotograffau. Gyda'r gwaith rhagarweiniol wedi ei gwblhau, euthum ati i weithio ar y portread yn ôl yn fy stiwdio yng Nghaerdydd.

Unwaith i'r portread gael ei gwblhau mi wnaeth dirprwyaeth o dan gadeiryddiaeth Emrys Evans Banc y Midland drefnu i gael dangosiad preifat i'r Tywysog nôl yn Highgrove.

Mi wnaeth fy ffrind a chymydog Howard Nichols, sy'n arbenigwr cyfrifiadurol, drefnu llogi fan i gludo'r darlun pum troedfedd i Highgrove. Pan gyrhaeddom y Plasty mi gafodd Howard dipyn o sioc wrth i'r Tywysog gerdded ato a'i gyfarch a'i holi gan feddwl ei fod yn yrrwr fan llawn amser!

Tydi rhywun byth yn gwybod sut mae gwrthrych portread yn mynd i ymateb wrth weld y darlun gorffenedig am y tro cyntaf. Mi roedd ymateb Winston Churchill i'w bortread gan Graham Sutherland yn enghraifft berffaith o siom ac anfodlonrwydd. Ar ôl iddo edrych ar ei bortread am ychydig, rhaid dweud mai rhyddhad mawr oedd cael y 'thumbs up' Brenhinol. Roedd y Tywysog wedi ei blesio a chawsom wahoddiad i aros am baned cyn dychwelyd i Gaerdydd. Pawb yn fodlon a neb yn fwy felly na 'gyrrwr y fan' a oedd hefyd wedi cael gwahoddiad i gael paned Brenhinol!

Aethpwyd â'r darlun i'w arddangos yn Llanelwedd, ac yna gan ei fod braidd yn fawr i swyddfa'r gymdeithas, fe gafodd gartref parhaol wrth fynedfa Neuadd y Ddinas yng Nghaerdydd. Roeddwn wrth fy modd gyda'r lleoliad a dwi'n falch i ddweud ei fod yno hyd heddiw.

Roeddwn i gyfarfod y Tywysog eto yn 2019 mewn seremoni anrhydeddu ym Mhalas Buckingham. Cefais fy enwebu am MBE am fy nghyfraniad i ddarlunio portreadau a fy ngwasanaeth i gelf. Geiriau cyntaf y Tywysog oedd ei fod yn clywed fy mod wedi peintio portread ohono hanner can mlynedd yn ôl. Atgoffais ef ei fod hefyd wedi eistedd am bortread yn fwy diweddar. Ei ymateb mewn gair oedd 'Really?' Yn amlwg roeddwn wedi gwneud cryn argraff arno!

Pennod 13

Nôl i'r Ysgol

Ym 1987 teimlais ei bod hi'n amser i mi ailasesu'r ffordd roedd fy ngyrfa yn datblygu. Penderfynais ymrestru ar Gwrs Haf Ysgol y Slade; bydde hyn yn rhoi cyfle i mi weithio unwaith eto gyda modelau byw. Roedd hyn hefyd yn mynd i roi cyfle i mi dreulio amser gyda chyd-artistiaid a rhai o'r tiwtoriaid a oedd wedi cael cymaint o ddylanwad arna'i yn y gorffennol.

Trefnais i aros yng ngwesty'r Tavistock a oedd yn gyfleus i'r Slade: dyna hefyd ble arhosais gyda fy rhieni ym 1953 ar achlysur y Coroni. Bryd hynny mi roedd y gwesty'n gymharol newydd, ond erbyn hyn mi roedd golwg flinedig iawn ar yr adeilad a'r ystafelloedd. Ta waeth am hynny, mi roedd y Tavistock yn hynod o gyfleus a dyna oedd fy nghartref am dair wythnos.

Un o fy nghyd-'fyfyrwyr' yn yr Ysgol Haf oedd Jean Reddaway a oedd yn artist dyfrlliw proffesiynol. Wrth sgwrsio yn gyffredinol un diwrnod fe ddywedais fy mod yn dod o ogledd Cymru. Ei hymateb yn syth oedd gofyn a oeddwn i yn nabod Kyffin Williams. Mae'n debyg fod Kyffin wedi rhentu ystafell ganddi rywbryd yn y gorffennol.

Cefais wahoddiad ganddi i'w chartref yn St John's Wood un prynhawn ac esboniodd ei bod yn awyddus i mi gyfarfod un o'i chymdogion, Michael Noakes. Roedd hyn o ddiddordeb mawr i mi oherwydd mi roedd Michael

Hunanbortread 1982

Noakes yn artist portreadau nodedig ac yn uchel iawn ei barch. Roeddwn hefyd yn ymwybodol o'i wraig, yr awdures Vivian Noakes, a oedd yn arbenigwraig ar waith Edward Lear.

Mi roedd Michael yn gwrtais a chroesawgar. Roedd yn falch o ddangos ei stiwdio i mi. Mi fydde wedi bod yn amhosib peidio sylwi ar amlinelliadau wedi eu peintio ar ganol y llawr o ddau bar o esgidiau. Eglurodd Michael mai dyna ble y safodd Dug a Duges Efrog ar gyfer eu portread swyddogol. Aeth ymlaen i ychwanegu na fyddai'r marciau yna byth yn cael eu dileu. Pawb at y peth y bo! Dyna rywbeth dwi erioed wedi ei wneud, a gallaf eich sicrhau na fyddaf yn ei wneud chwaith!

Mi roedd gen i gwestiwn roeddwn yn awyddus i'w ofyn i Michael, mater oedd wedi bod yn achosi cryn ddryswch i mi am nifer o flynyddoedd.

Roedd Michael yn chwarae rhan flaenllaw yng ngwaith Cymdeithas Frenhinol Artistiaid Portreadau Prydain. Mi roedd cael dangos eich gwaith yn Arddangosfa Haf y Gymdeithas yn angenrheidiol i unrhyw artist portreadau. Am ryw reswm, roedd pob darlun roeddwn i'n ei gynnig yn cael ei wrthod, ar wahân i ambell bortread o bobol nad oeddent yn llygad y cyhoedd. Gofynnais fy nghwestiwn, a rhaid i mi gyfaddef y cefais dipyn o syndod gydag ateb Michael. Esboniodd fod y gymdeithas yn ymwybodol iawn o fy ngwaith ond bod 'na elfen 'filwriaethus' yn teimlo fy mod yn dipyn o fygythiad. Ychwanegodd na tydi comisiynau mawr a phwysig ddim yn digwydd yn aml. Wrth weld yr olwg syfrdanol ar fy ngwyneb aeth ymlaen i ddweud ei fod ef ei hun yn ddiweddar wedi cael ei enwebu i beintio portread o Gymro adnabyddus. Yn anffodus canslwyd y comisiwn a'i roi i mi gan fy mod yn Gymro! Roedd Michael yn sicr wedi gwneud ei bwynt!

Yn 2002 ar ôl cwblhau fy ail bortread o'r Tywysog

Charles roeddwn yn awyddus i'r gwaith gael ei weld yn Arddangosfa Haf y Gymdeithas. Gwyddwn yn iawn nad oedd unrhyw siawns i hyn ddigwydd pe bawn i yn ei gynnig. Gwyddwn hefyd fod artistiaid sy'n aelodau o'r gymdeithas yn cael y fraint o gael gofyn i artist gwadd arddangos darlun. Yn ffodus i mi, cytunodd yr artist Tom Coates i gyflwyno fy mhortread i gael ei arddangos.

Derbyniodd y darlun ymateb ffafriol gyda ffotograff yn ymddangos yn y *Times*. O ganlyniad i hyn cefais wahoddiad i beintio portread o'r Llysgennad Americanaidd William Farish i'w arddangos yn y Llysgenhadaeth yn Llundain. Anrhydedd arall oedd clywed fod y portread wedi cael ei ddewis i fod ar dudalen flaen llyfryn blynyddol The Artists Royal Benevolent Society. Mae'n rhyfedd weithiau fel mae pethau'n gweithio allan!

Wrth edrych yn ôl dros chwe deg mlynedd fel artist proffesiynol mae'n ddiddorol sut mae'r galw am bortreadau wedi newid. Bryd hynny mi roedd 'na alw cynyddol gan sefydliadau pwysig, colegau a chynghorau sirol, am bortreadau o wleidyddion, penaethiaid diwydiant, cangellorion prifysgolion ac arweinwyr busnes – portreadau mawreddog wedi eu gosod mewn fframiau addurnedig aur. Yn aml mi fyddent mewn rhes hir o bortreadau eraill ar hyd coridorau neuaddau sir neu yn y stafell fwrdd. Mae'r math yna o bortread yn diflannu yn gyflym. Mi roedd 'na bwrpas iddynt bryd hynny, rhyw fath o gydnabyddiaeth am oes o wasanaeth, rhywbeth parhaol i gofio am gyfraniad arbennig. Mae'r oes wedi newid!

Pennod 14

Osian Ellis

Roedden ni yn ffodus iawn fel teulu ym Mhwllheli i gael R.H. Jones fel ein ffrind gorau. Mi roedd R.H., y fferyllydd lleol, wedi bod yn ŵr gweddw ers i fy rhieni ei gyfarfod nôl yn y pumdegau. Mi fyddai'n dod atom yn rheolaidd bob bore Sul ar ôl capel am baned o goffi. Mi fyddai hefyd weithiau yn galw heibio fin nos am gêm o gardiau, gwydriad o sieri a sgwrs. Roeddwn wrth fy modd yn ei gwmni.

Er ei fod yn gapelwr ffyddlon a selog mi roedd ganddo hefyd ochr anturus a bron na fasa rhywun yn gallu dweud gwyllt. Mi fyddai'n hoffi betio ar y ceffylau ac roedd yn berchen ar sens o hiwmor cyflym a hynod o ffraeth. Roedd hefyd yn un o'r chwaraewyr golff mwyaf cystadleuol dwi wedi ei gyfarfod, ac mae hynny yn cynnwys fy ffrindiau y cyn Archesgob Dr Barry Morgan a'r meddyg Dr Gwilym Bowen!

Roedd gan R.H. ddwy ferch gyda doniau cerddorol arbennig. Roedd Menna'n olygus, swynol a bywiog a Rene yn aml yn cael ei chymharu â'r actores Elizabeth Taylor. Mi wnaeth y ddwy astudio cerddoriaeth yn Llundain, lle y cwrddon nhw eu gwŷr: Menna yn priodi Neil Blake, tiwtor yn Ysgol St Paul's, a Rene'n priodi'r telynor Osian Ellis.

Er fy mod yn dal yn fy arddegau pan gyrhaeddodd Osian

ar y 'scene' ym Mhwllheli, mi greodd gryn argraff arnaf. Dwi wastad wedi teimlo fod 'na ryw hud anesboniadwy yn perthyn i gerddorion. Doedd fy nhad, gyda'i lais tenor ysgafn, byth yn hapusach na phan oedd yn canu, fel arfer yn cynnwys y ffefrynnau poblogaidd 'Elen Fwyn', 'Bugail Aberdyfi' ac 'Arafa Don'. Roedd hefyd wrth ei fodd yn chwarae'r piano ond byth gyda chopi o'i flaen. Roedd ganddo'r ddawn i glywed darn o gerddoriaeth ac yna mynd at y piano a'i chwarae yn berffaith. Mae hyn yn rhywbeth dwi hefyd yn hoffi ei wneud er mor ofnadwy dwi'n siŵr ei fod yn swnio i eraill. Dwi'n chwarae'r piano yn ddyddiol ac mae cerddoriaeth i mi, fel i nifer yng Nghymru, yn rhan o fy DNA. Does dim diwrnod yn mynd heibio, yn enwedig pan fyddaf yn y stiwdio, nad oes 'na gerddoriaeth Chopin neu Bach i'w glywed yn y cefndir.

Er mai dim ond ar ddechrau ei yrfa anhygoel yr oedd Osian Ellis yn y cyfnod yma, ac er ei fod yn un o'r bobl fwyaf diymhongar i mi ei gyfarfod, gwyddwn fy mod ym mhresenoldeb athrylith. Mi fydde'n galw heibio'r tŷ gyda Rene bob tro y byddai'n ymweld â Phwllheli. Dwi'n ei gofio yn parcio'i gar estêt Americanaidd enfawr y tu allan i'n tŷ. Yn aml, gyda phwysau'r delyn yng nghefn y car, byddai'n mynd yn sownd yn y tywod. Yna bydde rhaid i Osian, fy nhad a finne gyda rhawiau a sachau geisio gwthio'r car yn ôl ar y ffordd.

Priodwyd Osian a Rene ym Mhwllheli a chynhaliwyd y derbyniad yng ngwesty'r Crown. Cafodd fy rhieni wahoddiad ac allwn i ddim aros i glywed hanes yr achlysur. Roedd gan fy mam ddawn arbennig i ddisgrifio digwyddiadau cyhoeddus yr ardal a hynny mewn cryn fanylder. Dywedodd ei bod wedi cael gair gydag Osian yn y derbyniad a'i fod wedi newid o'i siwt briodas smart ac yn gwisgo hen gardigan llwyd a oedd yn edrych yn grychlyd a di-raen. Roedd hi wedi dweud wrtho fod pawb i weld yn cael amser rhyfeddol o bleserus. Ymateb Osian oedd dweud y bydde'n well ganddo fo fod yn rhywle arall, yn ddelfrydol ar ben ei hun ar Ynys Enlli. Roedd fy mam wedi ei syfrdanu!

Pan symudais i Lundain ym 1957 mi roedd enwogrwydd Osian wedi dechrau o ddifri. Mi roedd yn perffomio'n gyson yn yr Unol Daleithiau ac yn cyflwyno rhaglen deledu i'r rhwydwaith bob nos Sul. Yn *Croeso* mi fydde Osian yn cyflwyno Ray Jenkins a Cherddorfa Gymreig y BBC a chantorion fel Richie Thomas a Kenneth Bowen. Er fod y rhaglen yn cystadlu gydag Ivor Emmanuel yn *Land of Song* ar TWW, mi roedd *Croeso* yn llwyddiant a daeth Osian Ellis yn enw cyfarwydd a phoblogaidd gyda'r cyhoedd.

Mi roedd hefyd yn perffomio'n rheolaidd ar raglen radio boblogaidd *The Goon Show* a oedd yn cael ei recordio yn Theatr Camden. Ar adegau mi fydde Rene yn awyddus i fynd gydag Osian i weld y rhaglen yn cael ei recordio. Dyna pryd y byddwn yn cael galwad ffôn yn gofyn i mi neidio ar drên tiwb o Tufnell Park lle roeddwn yn byw i'w cartref yn Totteridge i warchod eu mab ifanc Richard.

Ym 1997 penderfynais beintio portread o Osian ar achlysur ei ben-blwydd yn saith deg oed. Cafodd y darlun gryn sylw a'i arddangos yn Neuadd Dewi Sant Caerdydd cyn cael ei brynu gan y Llyfrgell Genedlaethol.

Pan benderfynodd y Llyfrgell Genedlaethol gynnal Arddangosfa Ôl-syllol o'm gwaith yn 2002 roeddwn yn awyddus i'r portread o Osian Ellis gael safle blaenllaw. Ar y noson agoriadol cefais syndod o weld cymaint o Gymry blaenllaw ac adnabyddus yn bresennol gan gynnwys Osian ei hun.

Pennod 15

Syr Geraint Evans

Gyda fy nghariad at gerddoriaeth, gallwch ddychmygu sut roeddwn yn teimlo pan gefais wahoddiad i beintio portread o'r tenor byd-enwog Syr Geraint Evans ar gyfer Eisteddfod Genedlaethol Abertawe 1982.

Roeddwn wedi clywed gan ffrind am un achlysur, tra roedd Syr Geraint yn ymarfer ar gyfer perfformiad yn y Tŷ Opera Brenhinol, ei fod wedi cael gair tawel gydag un o'r cynorthwywyr llwyfan. A hwythau wedi treulio cryn amser yng nghwmni ei gilydd, dywedodd wrtho nad oedd angen ei alw yn Syr Geraint Evans mwyach. Aeth ymlaen i esbonio 'Dwi'n credu ein bod yn nabod ein gilydd yn ddigon da erbyn hyn; does dim angen bod mor ffurfiol, jyst galwch fi yn Syr Geraint!'

Dyna beth wnes i, a rhaid cyfadde, roedd yn bleser pur bod yn ei gwmni. Anghofiaf i byth y tro cyntaf i mi ei gyfarfod. Cerddodd i mewn i fy stiwdio fel tasai'n cerdded ar lwyfan y Tŷ Opera Brenhinol gyda channoedd o'i flaen yn cymeradwyo. Ar ôl ychydig sylweddolodd nad perfformiad roeddwn ei angen, ond naturioldeb, a dechreuodd ymlacio.

Fel teyrnged i Syr Geraint, penderfynwyd dadorchuddio'r portread ar lwyfan yr Eisteddfod. Cafodd y darlun dderbyniad gwresog er mawr ryddhad i mi. Roedd hi hyd yn oed yn fwy o ryddhad i wybod fod Syr Geraint

a'i wraig, y Foneddiges Evans, hefyd wedi eu plesio gyda'r portread.

Pennod 16

Syr Bryn Terfel

Cyfarfyddais Syr Bryn am y tro cyntaf yn Neuadd Dewi Sant, Caerdydd. Roedd hi tua hanner dydd ac mi roedd wedi bod yn ymarfer ar gyfer cyngerdd mawreddog y noson honno. Ar ôl ein sesiwn braslunio ar gyfer y portread mi roedd yn mynd yn ôl i ymarfer ac roedd yn amlwg fod ei feddwl ar bethau eraill.

Eisteddodd braidd yn ansicr ar stôl gyfagos a gofyn beth oedd angen iddo'i wneud. Hoffwn petai wedi ymlacio ychydig mwy, ond roeddwn yn ymwybodol fod nifer o ffactorau dilys yn gyfrifol am hyn. Mi roedd eistedd am bortread yn brofiad cwbl newydd iddo, roeddem hefyd mewn man gweddol gyhoeddus ac mi roedd yn amlwg mai perfformiad y noson honno oedd ei brif flaenoriaeth. Dim syndod felly ei fod yn ymddangos i mi fel petai'n well ganddo fod wedi bod yn unrhyw le arall!

Pan welais o yn fy stiwdio ychydig ddyddiau yn ddiweddarach mi roedd o mor wahanol. Chwaraeodd dipyn ar y piano a siaradodd yn frwdfrydig am ei CD newydd o ganeuon Lerner a Loewe. Cefais syndod pan sgwrsiodd am yr amserlen hectig oedd o'i flaen gan gynnwys *Salome* yn Covent Garden. Holais am y cennin Pedr oedd ar labed ei gôt. Esboniodd ei fod wedi ei wneud o aur Cymru a'i fod yn ei wisgo ym mhob perfformiad cyngerdd fel masgot lwcus. Soniais hefyd am yr oriawr trawiadol roedd yn ei wisgo ac y tybiais i ei fod yn Rolex. Cefais fy nghywiro yn syth: 'Omega!'

Beth amser yn ôl, clywais Hywel Gwynfryn yn gwneud cyfweliad radio gwych gyda Bryn. Mi roedd yn ymddangos ar y pryd yn *The Rake's Progress* yn y Theatr Newydd, Caerdydd. Awgrymodd Hywel falle fod opera Stravinsky yn rhy gymhleth ac anodd i'r rhan fwyaf o bobl. Atebodd Bryn falle y byddai'n syniad i gynulleidfaoedd wneud ychydig o waith cartref cyn mynychu'r opera. Mae crynodebau o operâu i'w cael ar Google a falle y byddai darllen rhain yn ychwanegu at y mwynhad o'r perfformiad. Rhesymeg lwyr wrth gwrs, a rhywbeth dwi wedi ei wneud ers y cyfweliad yna!

Yn ystod y cyfnod byr a dreuliais yn ei gwmni gallwn weld fod ei broffesiynoldeb a'i ymroddiad yn ddi-gwestiwn. Mae'n rhoi cant y cant i bopeth, boed ar lwyfannau opera'r byd, y gwahanol elusennau mae'n eu cefnogi, ac mi dybiwn fod yr un peth yn wir ar y cwrs golff!

Llŷr Williams

Roeddwn wedi bod yn edmygydd o'r pianydd clasurol Llŷr Williams ers rhai blynyddoedd. Roedd wedi swyno cynulleidfaoedd gyda'i dechneg syfrdanol mewn neuaddau cyngerdd ar draws y byd.

Trefnais i'w gyfarfod tra roedd yn ymarfer ar gyfer cyngerdd yn Neuadd Wigmore, Llundain. Penderfynwyd gwneud y portread yn y coleg lle roedd yn byw ar y pryd. Roedd yn gyfeillgar a chwrtais er braidd yn ffurfiol yn ystod y sesiwn. Yn ystod cinio cyflym yn y coleg gwelais ochr arall i'w gymeriad. Tra'n bwyta treiffl siocled, llwyddais i ollwng llond llwy o hufen, cwstard a jeli ar fy nghrys. Chwarddodd Llŷr fel petai newydd weld yr olygfa fwyaf doniol mewn unrhyw ffilm gomedi. Wrth ddychwelyd i orffen y sesiwn roedd hi'n amlwg ei fod wedi ymlacio cryn dipyn. Roedd fy moment tarten gwstard Laurel and Hardy wedi gwneud y tric!

Pennod 18

Gwynfor Evans

Pan es i gyfarfod Gwynfor Evans yn ei gartref yn Sir Gaerfyrddin, atebwyd y drws gan ei ferch a ymddiheurodd ei bod yng nghanol coginio *chips*. Cefais groeso twymgalon a fy nghyflwyno i Gwynfor. Gwyddwn nad oedd wedi bod yn yr iechyd gorau felly penderfynais na fyddwn yn aros yn rhy hir ac y byddwn yn cymryd nifer o ffotograffau a braslun cyflym. Dechreuais sgwrsio drwy ddweud fod arogl y *chips* o'r gegin yn hyfryd. Mi aeth y sesiwn yn arbennig o dda ac wrth ffarwelio mi ddywedais fy mod yn gobeithio nad oedd y profiad wedi bod yn rhy heriol ac y byddai'n mwynhau'r *chips*! Soniodd fod criw teledu'n galw heibio yn hwyrach yn y prynhawn i'w gyfweld ar gyfer rhaglen newyddion y noson honno.

Pan gyrhaeddais adref fe droais y teledu ymlaen i wylio'r newyddion ac yn arbennig y cyfweliad gyda Gwynfor. Dywedodd y newyddiadurwraig wrtho ei bod wedi clywed ei fod wedi cael peintio'i bortread yn gynharach, a holodd sut yr oedd pethau wedi mynd. Atebodd Gwynfor gyda gwên ar ei wyneb, 'Dwi ddim yn rhyw siŵr iawn, y cwbwl roedd yr artist eisiau siarad amdano oedd *chips*!'

Pennod 19

Jâms Nicolas

Un a gafodd foddhad mawr wrth weld ei bortread oedd yr Archdderwydd Jâms Nicolas. Ysgrifennodd yntau lythyr cynnes iawn ataf: 'Credaf ei fod yn gampwaith, a thystiolaeth pawb o'm cyfeillion yw eich bod wedi dal fy nghymeriad. Cystal i mi gydnabod fy mod wedi fy mhlesio'n fawr iawn. Y mae'r llun yma dros dro hyd nes y bydd yn mynd i'r Llyfrgell Genedlaethol ac ystyriwn hi'n fraint o'i gael yma am ychydig o amser.'

Yn fy mhrofiad i proses gwrtais, waraidd yw'r un o greu portread. Mae'r gwrthrych eisiau rhoi ei orau i'r achlysur ac felly mae'n rhaid creu awtrgylch briodol. Rhaid i'r sgwrs rhwng yr artist a'r gwrthrych fod yn un braf a siriol, ond eto'n cadw urddas. Byddaf yn ceisio cadw pethau mor anffurfiol ac esmwyth â phosib gan geisio celu bod yna awch creadigol ar waith ynof i, a phenderfyniad haearnaidd i ddangos fy nghrefft ar ei gorau. Un o'r pleserau mawr, ar ôl gorffen y gwaith a'i gyflwyno, yw derbyn llythyr diolchgar gan y sawl sy'n cael ei bortreadu.

Pennod 20

Alun Creunant Davies

Derbyniais lythyr gwerthfawrogol iawn hefyd gan gyngyfarwyddwr Cyngor Llyfrau Cymru, Alun Creunant Davies. Ynddo mae'n nodi: 'Bu'n bleser ymweld â chi a'ch gweld wrth eich gwaith gan ryfeddu eich bod yn gallu sgwrsio mor ddiddorol ar yr un pryd.'

Comisiwn gan Gyngor Llyfrau Cymru oedd y darlun hwn ac mae ar fur ystafell gyfarfod eu canolfan yng Nghastell Brychan, Aberystwyth. Derbyniais lythyr arall ganddo ar ôl y dadorchuddiad a'r dathliad yno: 'Rhaid anfon gair atoch i ddweud fod y llun yn edrych yn ardderchog wedi'i osod yn ei le yng Nghastell Brychan. Cawsom seremoni hyfryd i'w ddadorchuddio a phawb yn canmol y llun.'

Yr hyn rwyf wedi'i ganfod am sawl un ar frig eu gyrfa yw eu bod yn bobl hynod o ddiymhongar ynglŷn â'u cyfraniad. Roedd hyn yn sicr yn wir am Alun Creunant a oedd yn methu'n lân â deall pam fod unrhyw un eisiau portread ohono!

Pennod 21

Elin Jones

Mae nifer o'm ffrindiau sy'n aelodau o Blaid Cymru wedi bod yn canmol Elin Jones ers amser maith. Pan gysylltais â hi yn y gobaith y byddai'n cytuno i mi beintio portread ohoni, mi roedd hi wedi cael ei hethol yn Llywydd y Senedd. Fe gytunodd yn garedig i'r portread a dwi'n falch o ddweud ei bod yn hael gyda'i sylwadau pan orffennwyd o. Yn ystod fy amser yn ei chwmni fe ddysgais mai ei thair blaenoriaeth wleidyddol oedd hyrwyddo achosion trigolion ei hannwyl Geredigion, bod yn lais i ferched a chynrychioli Cymru a'r Cymry yn effeithiol.

Mae 'Dic y fet' o Aberteifi, fy nghyn gyd-letywr yn ystod fy nghyfnod yn Llundain, wastad yn barod iawn i ganmol yr hyn mae Elin wedi'i gyflawni ar ran amaethyddiaeth yng Nghymru. Fel y buasai rhywun yn ei ddisgwyl, mi roedd yn bleser bod yng nghwmni Elin ac edmygais ei phroffes-iynoldeb yn ystod y broses o eistedd am bortread.

Pennod 22

Y Foneddiges Siân Phillips

Roeddwn wrth fy modd pan glywais fod yr actores Siân Phillips wedi cytuno i eistedd am bortread. Mae ei gyrfa ar lwyfan yn chwedlonol ac mae'n teimlo fel petai wedi ymddangos ym mhopeth. Dwi'n ei chofio yn nyddiau teledu du a gwyn yn ymddangos yn y ddrama *Brad* gan Saunders Lewis.

Trefnais i'w chyfarfod yn ei chartref yn Holland Park, Llundain. Cyrhaeddais yn union ar amser (er gwell neu waeth mae prydlondeb wastad wedi bod yn bwysig i mi). Curais y drws ond dim ateb. Rhoddais un cynnig arall ond doedd dim arwydd o unrhyw fywyd o gwbwl. Roeddwn ar fin gadael pan gyrhaeddodd lonciwr wrth fy ymyl yn anadlu'n drwm a gyda band chwys o gwmpas ei phen. Cymerodd ychydig eiliadau i mi sylweddoli mai hon oedd prif actores Cymru! Ymddiheurodd yn syth a fy ngwahodd i mewn i'r tŷ gan ddweud, 'Gwnewch eich hun yn gyffyrddus ac mi ddo'i â phaned o goffi i chi … fydda i ddim yn hir!'

Syllais drwy ffenest y lolfa a oedd yn edrych allan dros ardd breifat, dihangfa o brysurdeb y ddinas. Meddyliais tybed faint o sgriptiau oedd wedi cael eu darllen a'u dysgu yn nhawelwch a llonyddwch yr ardd.

Agorodd y drws ac mi roedd y lonciwr a welais ychydig funudau yn ôl wedi trawsnewid i fod yn seren Hollywood!

Y gwallt a'r colur yn berffaith, dim byd wedi ei adael i siawns.

Roeddwn wedi ei gweld ar lwyfan fel Marlene Dietrich, perfformiad a fyddai'n cael cynulleidfaoedd ar eu traed yn cymeradwyo ar ddiwedd pob noson. Yma, yn sefyll o'm blaen mewn lolfa yn Holland Park, roedd 'Marlene'! Prin y gallwn gredu pa mor gyflym yr oedd hi wedi newid gwisg a golwg. Ffurf ar gelf ynddo'i hun!

Roedd hi'n gwmni hyfryd, wedi ymlacio'n llwyr ac yn fodlon sgwrsio'n ddifyr am unrhyw beth yr oeddwn am ei wybod. Hedfanodd yr amser, ac mi roedd y broses o fraslunio yn llawer mwy cyffyrddus a phleserus nag y gall fod weithiau!

Pennod 23

Rygbi

Yr unig chwaraeon oedd yn cael eu cynnig yn ysgol Ramadeg Pwllheli oedd rygbi a chriced. Rhaid cyfaddef, doedd gen i fawr o ddiddordeb yn yr un ohonynt – hynny yw, nes i mi symud i Lundain fel myfyriwr a rhannu tŷ gyda chwech o ffrindiau o dde Cymru. Roeddent i gyd yn chwarae rygbi i wahanol golegau a chefais fy ngorfodi i werthfawrogi'r gêm!

Ar ôl yr holl flynyddoedd dwi'n dal ddim yn deall yr holl reolau yn iawn. Er hyn, rhaid dweud, o safbwynt darluniadol mae gan y gêm lawer mwy i'w gynnig na nifer o chwaraeon eraill. Ar ddechrau'r chwedegau, ymdrechais i beintio darlun o'r cyffro mewn gêm ond yn anffodus teimlais fod y cyfan yn edrych fel tasai wedi cael ei lwyfannu yn ofalus. Felly, wrth reswm, pan gefais y cyfle i beintio portread o'r Brenin ei hun, Barry John, allwn i ddim aros i ddechrau ar y gwaith.

Cyrhaeddodd Barry fy stiwdio yn gwisgo crys pinc. Roeddwn yn awyddus iddo yn edrych yn hollol hamddenol, fel mae sawl un yn ei gofio ar y maes rygbi. Awgrymais ei fod yn cario *blazer* ar ei ysgwydd, fel roeddwn wedi'i wneud gyda fy mhortread o Syr Geraint Evans rai blynyddoedd ynghynt. Mi roedd hyn i weld yn gweithio, mi wnes i hefyd roi benthyg tei iddo a newid lliw'r crys o binc i las. Teimlwn mai dyma oedd y dewis gorau. Penderfynais ar arddull llai ffurfiol i'r darlun ac mae'n un o fy hoff bortreadau oherwydd fy mod yn teimlo fod 'na ryw onestrwydd yn perthyn iddo.

Tra roedd yn sgwrsio ac yn hel atgofion am ei yrfa, trodd ataf a gofyn yn hollol gwrtais, 'Ydych chi'n dilyn rygbi?' Yn wahanol iawn i'r rhan fwyaf o ddilynwyr rygbi a fydde yn gwrando arno mewn edmygedd a pharch, sylweddolodd nad oedd gennyf lawer o gliw am y gêm!

Digwyddodd yr un peth gyda Shane Williams. Roedd ar binacl ei yrfa ac mi roedd yn anodd iawn cael gafael arno, yn debyg i pan oedd yn gwibio i lawr yr asgell! Roeddwn yn ymwybodol mai dim ond am ychydig iawn o amser y byddai yn fy stiwdio.

Pan soniais wrth Dr Paul Joyner o'r Llyfrgell Genedlaethol fy mod ar fin cychwyn ar bortread o Shane, awgrymodd falle y byddai'n syniad cynnwys y sgidie 'Bye-bye' enwog a wisgodd yn ei gêm olaf.

Llogais fainc debyg i un a fydde i'w gweld mewn stafell newid a gosodais y 'props' yn barod ar ei gyfer. Roedd yn hynod o broffesiynol a cyrhaeddodd gyda'r sgidiau a phêl rygbi fel y trefnwyd. Yn debyg i Barry roedd yntau hefyd yn hapus wrth siarad am ei brofiadau aruthrol ar y llwyfan rygbi rhyngwladol. Wrth sylweddoli nad oedd yn cael yr ymateb arferol gofynnodd yntau hefyd, 'Ydych chi'n dilyn rygbi?'

Ar ôl y portreadau o Barry John a Shane Williams cefais gomisiwn gan Glwb Caerdydd a'r Sir i beintio portread dwbwl o ddau arall o arwyr y bêl hirgron, sef Jack Matthews a Bleddyn Williams. Ar ôl ymddeol bu'r ddau yn brysur yn teithio o gwmpas y wlad yn diddori cynulleidfaoedd gyda'u hatgofion rygbi. Bûm yn pendroni cryn dipyn am gyfansoddiad y darlun ac yna drwy siawns deuthum ar draws llyfr lloffion enfawr a oedd yn llawn erthyglau a phenawdau papurau newydd. Gosodais y llyfr

yn ofalus ar eu gliniau i sicrhau cyfansoddiad cytbwys. Roedden nhw hefyd yn ymwybodol o fy niffyg gwybodaeth am rygbi a siaradom am bopeth ac eithrio yr hyn roedden nhw'n enwog amdano!

Yn y saithdegau, drwy siawns llwyr, cyfarfyddais rywun oedd â gwybodaeth anhygoel am Gelf Prydeinig yr ugeinfed a'r bedwaredd ganrif ar bymtheg. Roedd wedi llwyddo i ddatblygu hobi yn fusnes prynu a gwerthu proffidiol. Ei enw oedd Cliff Jones, y cyn-chwaraewr rhyngwladol, dewisydd y tîm cenedlaethol a Llywydd Undeb Rygbi Cymru ym 1980/81 sef blwyddyn y canmlwyddiant. Doeddwn i erioed wedi cyfarfod unrhyw un gyda gwell gwybodaeth am gelf y cyfnod yma na Cliff. Dim rhyfedd felly fod ei fab, Dan Clayton Jones, wedi agor Oriel Gelf yng Nghaerdydd yn arbenigo mewn gweithiau celf o ansawdd o'r cyfnod hwnnw.

Pennod 24

Dafydd Wigley

Yn y 60au cynnar pan oeddwn yn treulio cryn amser ym Mhwllheli, cefais ymweliad gan ŵr ifanc a oedd yn wreiddiol o gyffiniau Caernarfon ond a oedd ar y pryd yn gweithio i gwmni ceir Ford yn Dagenham.

Pwrpas yr ymweliad oedd holi a faswn yn peintio portreadau o'i rieni. Roeddent yn byw yn y Bontnewydd, ac ar fin dathlu eu priodas arian. Enw'r gŵr ifanc oedd Dafydd Wigley.

Roedd yn ddiddorol gweld y portreadau eto yn ddiweddar ar y rhaglen deledu *Adref*. Roedd Dafydd wedi eu cynnwys yn ei restr o drysorau personol.

Pan fyddai hi'n dod yn amser etholiad, sylwais nad oedd fy rhieni ynghlwm ag unrhyw blaid arbennig, ond yn hytrach yn pleidleisio i'r person roedden nhw yn teimlo fyddai'r Aelod Seneddol gorau i'r etholaeth. Goronwy Roberts oedd y dewis am sawl blwyddyn ac yna Dafydd Wigley, gan fod y ddau yn ei hoffi ac yn teimlo y gallent ymddiried ynddo.

Mae Dafydd ac Elinor wedi bod yn hynod o gefnogol dros y blynyddoedd, ac mi roedd hi'n fraint i mi gael peintio portread o'r Arglwydd Wigley yn 2011 ar achlysur ei ymddeoliad o swydd Llywydd y Llyfrgell Genedlaethol. Roedd hi hefyd yn fraint fod y portread wedi ei ddewis ar gyfer clawr ei gyfrol *Be Nesa!* yn 2013.

Pennod 25

Gwyn Erfyl

Ym 1985 cefais wahoddiad gan gwmni teledu HTV i ymddangos ar gyfres o raglenni roeddent yn mynd i'w recordio yn dwyn y teitl *Arlunwyr*. Byddai pob rhaglen yn canolbwyntio ar waith artist penodol ac yn cael ei darlledu yn y Gymraeg a'r Saesneg.

Ymhlith yr artistiaid eraill roedd Aneurin Jones a Kyffin Williams. Y cynhyrchydd oedd Carol Byrne Jones a'r cyflwynydd yn y Gymraeg a'r Saesneg oedd David Meredith.

Fel thema i fy rhaglen i, penderfynwyd dangos sut mae portread yn datblygu o'r dechrau hyd at y darlun gorffenedig. Gwrthrych y portread oedd un o brif gynhyrchwyr a chyflwynwyr teledu Cymru ar y pryd, a oedd yn enwog am ei gyfweliadau caled a threiddgar, sef Gwyn Erfyl. Rhaid cyfaddef, roeddwn yn ofni y byddai'n ddiamynedd gyda fy sgwrs sigledig yn y Gymraeg.

Doedd dim rhaid i mi boeni. Roedd yn ddymunol a hwyliog, a gofynnodd gwestiynau synhwyrol am y broses o beintio portread, fel y basai rhywun yn ei ddisgwyl gan ffrind agos i'r artist portreadau byd-enwog Pietro Annigoni!

Pennod 26

Nerys Jones

Rhwng comisiynau heriol roedd hi wastad yn ddymunol cael cyfle i beintio pobol a oedd yn dymuno cael y profiad o eistedd am bortread. Fel arfer roeddent yn bobol a oedd naill ai'n gweithio neu'n ymddiddori yn y celfyddydau.

Un o'r rhain oedd y soprano rhyngwladol Nerys Jones, yn wreiddiol o ganolbarth Cymru, ond a ymgartrefodd yn Seattle. Mae gen i barch ac edmygedd enfawr tuag at gerddorion, ac roedd gweld datblygiad Nerys i ddod yn soprano o fri drwy gyfuniad o waith caled, ymroddiad ac uchelgais yn achos cryn falchder i mi. Dwi mor falch fy mod wedi cael y cyfle i beintio portread ohoni.

Pennod 27

Y Cyn-Brifweinidog
Rhodri Morgan

Gan fod Lloegr yn dewis cofnodi ei Phrif Weinidogion gyda phortread neu gerflun, a chan fod gan Gymru erbyn hyn ei Senedd, meddyliais y dylem ni ystyried gwneud yr un modd. Cysylltais â'r AS Leighton Andrews ac awgrymu portread o'r Prif Weinidog Rhodri Morgan.

Awgrymodd Leighton fy mod yn cysylltu ag Edwina Hart. Roedd hi o blaid y syniad a throsglwyddwyd yr awenau i Rosemary Butler, y Llywydd. Mi roedd hi'n hynod o gefnogol ac yn awyddus i helpu mewn ffordd ymarferol. Trefnwyd cyfarfod rhwng Rhodri a fi a dechreuwyd ar y broses yn weddol gyflym. Reit o'r cychwyn roedd yn amlwg fod y ddau ohonom yn cyd-dynnu ac wrth ein bodd yn trafod y celfyddydau.

Roedd newydd gael cynnig i brynu portread gan Rembrandt i'r Amgueddfa Genedlaethol am bris o 25 miliwn o bunnoedd, ond wedi penderfynu gwrthod y cynnig. Swm sylweddol, wrth gwrs, ond teimlwn y byddai atyniad o'r fath wedi bod yn sgŵp aruthrol i'r Amgueddfa ac i Gymru.

Mi roedd Rosemary'n awyddus fod y ffotograffydd Betina Skovbro, a oedd yn digwydd bod yn gymydog i mi, yn cofnodi drwy luniau y broses o beintio'r portread.

Mi fyddai hi yn dod gyda mi i dŷ Rhodri yn y wlad, i'r

Senedd, i Adeilad yr Undeb yn Ffordd y Gadeirlan ac wrth gwrs i fy stiwdio. Yn ystod fy ymweliadau a thŷ Rhodri gallwn weld yn syth ei fod yn gallu ymlacio'n llwyr yn amgylchedd cefn gwlad. Oherwydd hyn, penderfynais, yn ogystal â pheintio portread ffurfiol o'r Prif Weinidog, y baswn hefyd yn ymdrechu i wneud un llai ffurfiol ohono yn ymlacio yn ei gynefin. Cytunodd i eistedd ger camfa gyda'i gi ffyddlon wrth ei ochr.

Ar ôl cwblhau'r ddau ddarlun, gwahoddais aelodau o Bwyllgor Comisiynu'r Senedd i'r stiwdio i weld y portread swyddogol a'r un anffurfiol.

Er mawr syndod i mi dewiswyd y portread anffurfiol gyda'r ci fel y cofnod swyddogol o Brif Weinidog Cymru.

Pan gafodd y portread ffurfiol (yr un heb y ci!) ei ddadorchuddio yn y Llyfrgell Genedlaethol trodd Rhodri ataf a sibrwd 'Does bosib mai dyma'r portread a ddylai fod yng Nghaerdydd, yn hytrach na'r un arall!'

Esboniais yr hyn oedd wedi digwydd. Ysgydwodd ei ysgwyddau a chodi ei ddwylo i'r awyr gydag ochenaid. Roedd yr ystum yna yn dweud y cyfan!

Pennod 28

Owen Edwards

Yn ystod fy nghyfnod yn gweithio i'r BBC fel darlunydd llawrydd, roeddwn yn dal mewn cysylltiad gydag Endaf Emlyn, a oedd wedi bod yn allweddol yn fy nghyflwyno i fyd y cyfryngau. Cefais wahoddiad gan Endaf a'i ddyweddi Jackie nid yn unig i'w priodas ond hefyd i fod yn was priodas.

Yn y wledd wedi'r briodas gwelwyd y ddau deulu yn dod at ei gilydd; teulu Endaf wrth gwrs yn gwbwl Gymraeg, a theulu Jackie yn Saesneg. Ymhlith y gwesteion roedd chwaer Endaf, sef Shân Emlyn, gwraig un o ddarlledwyr mwyaf amlwg a blaenllaw Cymru, Owen Edwards, a oedd ar y pryd yn cyflwyno'r rhaglen gylchgrawn nosweithiol *Heddiw*.

Unwaith bod y siampên wedi dechrau llifo yn ystod y neithior gofynnais i Owen a fyddai'n fodlon fy helpu gyda fy nyletswyddau fel gwas priodas. Dywedais wrtho y byddwn yn ei hystyried hi'n ffafr aruthrol petai'n cytuno i ddarllen y teligrams a'r cyfarchion Cymraeg. Fe gytunodd yn llawen ac fe'i cyflwynais i'r gwesteion o Loegr fel ateb Cymru i Cliff Michelmore a oedd yn cyflwyno rhaglen deledu debyg i *Heddiw* sef *Tonight* ar y rhwydwaith. Fel y buasai rhywun yn ei ddisgwyl gan ddarlledwr mor brofiadol a phroffesiynol ag Owen, roedd yn wych. Chwaraeodd ei ran yn berffaith gan ddweud jôcs, darllen y cyfarchion gyda hiwmor a bron â chymryd drosodd fy rôl, er mawr ryddhad i mi!

Dwi wedi cael y fraint o fod yn was priodas dair gwaith yn ystod y blynyddoedd ac ar bob achlysur dwi wedi defnyddio'r un tric o wahodd un o'r gwesteion i helpu gyda fy nyletswyddau. Yn ystod gwledd briodas fy ffrind John Idris Jones yn Neuadd Bron Eifion ger Cricieth, daeth un o'r gwesteion ataf a dweud ei fod wedi bod mewn nifer o dderbyniadau priodas dros y blynyddoedd ac mai fi oedd y gwas priodas gwaethaf yr oedd erioed wedi ei weld!

Ym 1983 cysylltodd Shân Emlyn â mi gyda chynnig cyfrinachol a oedd ganddi mewn golwg. Trefnais i'w chyfarfod am goffi yng Nghoed y Pry, tŷ Shân ac Owen yn ardal Cyncoed, Caerdydd. Y cynnig oedd imi beintio portread o Owen i'w ddadorchuddio yn ystod ei barti penblwydd yn bum deg oed, ond roedd yn rhaid i'r peth fod yn hollol gyfrinachol! Cysylltais ag Owen gan wneud yr esgus fy mod wedi cael cais gan gylchgrawn i wneud braslun cyflym ohono i gyd-fynd ag erthygl amdano. Cytunodd i'r cais a galwodd yn fy stiwdio heb ofyn gormod o gwestiynau! Gyda'r portread wedi ei gwblhau fe'i dadorchuddiwyd o flaen y teulu a ffrindiau ar y diwrnod mawr. Dwi'n falch o ddweud fod yr holl beth wedi gweithio allan yn union fel roedd Shân wedi gobeithio. Cafodd Owen y syrpreis disgwyliedig ac mi roedd wrth ei fodd gyda'r portread. Wrth ddiolch am yr anrheg annisgwyl, cyhoeddodd ei fod yn mynd i gomisiynu portread o Shân fel bod y ddau ddarlun yn gallu cael eu gweld ar y wal gyda'i gilydd.

Dilynais yrfaoedd Owen ac Endaf a'u gweld yn datblygu ac yn mynd o nerth i nerth dros y blynyddoedd: Owen yn rheolwr BBC Cymru ac yna'n Brif Weithredwr cyntaf S4C, ac Endaf yn gyfarwyddwr ffilmiau sydd wedi ennill llu o wobrau ac anrhydeddau, heb sôn am ei gyfraniad i

gerddoriaeth gyfoes yng Nghymru. Yn aml wrth wrando ar ei gerddoriaeth agoriadol i *Pobol y Cwm,* bydd fy meddwl yn mynd yn ôl i'r hafau hir hynny yn y 50au pan oedd y ddau ohonom yn mwynhau bywyd i'r eitha ym Mhwllheli heb lawer o feddwl am y dyfodol. Mae'n rhyfedd fel y mae olwynion ffawd yn troi!

Pennod 29

Dr Brinley Jones

Ym 1964 cefais wahoddiad gan Dr G.O. Williams, a oedd ar y pryd yn Esgob Bangor, i beintio portread ohono fel cyn warden Coleg Llanymddyfri.

Fy unig gysylltiad gyda'r coleg oedd drwy Huw Davies, fy ffrind o'r dyddiau pan oeddem yn rhannu llety yn Llundain. Roedd Huw wedi bod yn ddisgybl dyddiol yn y coleg. Pan es i aros yn Nhan-y-coed, cartref Huw yn Llanymddyfri, cefais groeso arbennig. Roedd ei dad, D.T. Davies, yn brifathro lleol a chymerodd ddiléit yn fy nhywys o gwmpas y dre yn fy nghyflwyno i bawb. Rhaid cyfadde, teimlais ryw berthynas agos gyda Llanymddyfri yn syth!

Roeddwn wrth fy modd yn dychwelyd i'r dref, a'r tro yma i'r coleg, ar achlysur dadorchuddio'r portread o Dr G.O. Williams.

Ryw ugain mlynedd yn ddiweddarach cefais wahoddiad yn ôl unwaith eto; y tro yma i weithio ar bortread o'r warden ar y pryd, Dr Brinley Jones. Mi fydde gorchestion academaidd a llwyddiant ysgolheigaidd Brinley yn gallu llenwi llyfr, ond yr hyn a wnaeth gryn argraff arnaf oedd ei briodoleddau diplomyddol a'i ostyngeiddrwydd. Roedd yr un peth yn wir pan fûm yn gweithio ar ei bortread fel Llywydd y Llyfrgell Genedlaethol.

Sylwais yn syth ar ei sgiliau cyfathrebu gyda phobol, a'i gynhesrwydd didwyll tuag at bawb yr oedd yn eu cyfarfod.

Dwi ddim yn meddwl imi erioed ddod ar draws neb a oedd yn gallu "gweithio ystafell" yn well na Brinley. Roedd ganddo amser i bawb, beth bynnag eu statws.

Ar gyfer ei bortread fel Llywydd y Llyfrgell, roeddwn i'w gyfarfod yn ei gartref yn Llanwrda yng nghefn gwlad Sir Gaerfyrddin, ar 11eg Medi, 2001. Wedi mwynhau diwrnod pleserus a chinio ysgafn yng nghwmni Brinley a'i wraig Stephanie, cychwynnais yn ôl i Gaerdydd. Wrth i mi nesáu at Aberhonddu fe droais y radio ymlaen. Roedd y newyddion yn torri am awyren yn hedfan i mewn i'r Twin Towers yn Efrog Newydd ... 'Nine Eleven'.

Pennod 30

Doctor, Doctor!

Fel sydd wedi digwydd sawl gwaith yn ystod fy ngyrfa, siawns llwyr oedd yn gyfrifol am un o'r comisiynau mwyaf a gefais.

Tua diwedd y saithdegau cefais wahoddiad gan ffrindiau i mi, Judith a Tudor Davies, i barti nos Galan. Roedd y ddau yn feddygon yn Ysbyty'r Brifysgol ac mi roedd y tŷ yn llawn o'u ffrindiau a chydweithwyr. Yn ystod y noson cwrddais â chyfreithiwr ifanc, Elizabeth Thompson. Trefnom i fynd allan am bryd o fwyd, a gan fod gan y ddau ohonom ddiddordeb yn y celfyddydau daethom yn ffrindiau da. Cefais wahoddiad ganddi i gyfarfod ei rhieni, Dr a Mrs Thompson, a oedd yn byw yn agos i mi.

Roedd gan Peter Thompson gysylltiadau agos gyda'r Gyfadran Anesthetyddion a oedd wedi ei lleoli yn Llundain. Gofynnodd i mi a faswn i'n gallu glanhau portread cynnar o Joseph Clover, yr arloeswr anaestheteg. Roedd y portread wedi bod ar un o waliau Coleg Brenhinol yr Anesthetyddion yn Lincoln's Inn ers blynyddoedd ac angen tipyn o waith adfer arno. I roi hwb i ddelwedd y Coleg penderfynwyd hefyd gomisiynu portreadau o'r cyn-lywyddion i addurno waliau'r adeilad newydd yn Sgwâr Bedford. Dwi'n falch o ddweud y cynigiwyd y comisiwn i mi!

Roedd hi'n dechrau ymddangos fy mod yn cael fy

Yr Athro Bill Mapleson

adnabod fel artist swyddogol anesthetyddion Prydain! Ymwelais â Budleigh Salterton yn Nyfnaint i beintio Syr Geoffrey William Organe. Es i Lundain i wneud portread o Dr Tom Bolton, tad Adam Bolton o newyddion Sky. Trafaeliodd Dr William McRae o'r Alban i lawr i fy stiwdio yng Nghaerdydd, gyda chais i'w bortread gael ei beintio gyda manylder ffotograffaidd!

Roedd Caerdydd yn awyddus i fod yn rhan o'r broses hefyd a chefais gomisiwn i beintio nifer o athrawon anaestheteg. Un ohonynt oedd yr Athro Bill Mapleson a fu gyda'r adran am bron i drigain mlynedd. Mi ddaeth Bill a'i wraig Maureen yn ffrindiau da imi, wrth eu bodd yn rhannu eu profiadau o'r theatr (drama nid meddygol!). Hyd yn oed yn eu hwythdegau mi fyddent yn teithio o gwmpas Prydain, yn aml yn mwynhau dros gant o ddramâu'r flwyddyn!

I ddathlu ei hanner canmlwyddiant comisiynodd y Gymdeithas bortread o bedwar ar bymtheg o'i Llywyddion ar un cynfas! Tipyn o sialens, ac fe gymerodd rai wythnosau imi gwblhau'r gwaith. Y cyfan y gallaf ei ddweud ydi nad oedd angen anaesthetig arnaf erbyn y diwedd!

Pennod 31

Y Ferch gyda'r Sigarét

Yn 2002 cefais yr anrhydedd o gael arddangosfa o'm gwaith yn y Llyfrgell Genedlaethol. Y gŵr tu ôl i'r fenter oedd Dr Huw Owen, Ceidwad Darluniau a Mapiau yn y Llyfrgell, a mawr yw fy nyled iddo.

Doeddwn i heb sylweddoli faint o'm darluniau a'm brasluniau oedd yng nghasgliad y Llyfrgell nes i Dr Owen fy atgoffa dros baned yn fy nhŷ. Roedd o'n teimlo, petawn i hefyd yn gallu cael benthyg rhai o'm lluniau a oedd mewn casgliadau cyhoeddus a phreifat, y byddai'n bosib cael arddangosfa boblogaidd a fyddai'n croniclo'r Cymry dros y blynyddoedd.

Trosglwyddwyd y syniad i'r ardderchog Mike Francis ac mi wnaeth o, gyda'r Trefnydd Arddangosfeydd Jaimie Thomas, drefnu digwyddiad a fyddai'n gallu cystadlu gydag unrhyw arddangosfa ar lefel ryngwladol. Cyhoeddwyd catalog ardderchog gydag ysgrif ragarweiniol gan Rian Evans. Gyda phris o £12.50 gwerthwyd pob un o'r mil o gopïau. Dwi'n dal i fod yn hynod o ddiolchgar i Mike am ei broffesiynoldeb a'r modd y llwyddodd i greu arddangosfa mor arbennig. Mi roedd y noson agoriadol yn achlysur fydd yn aros yn fy nghof, gyda rhai o fawrion y genedl yn bresennol. Hoffwn ddiolch i'r Llyfrgell am deyrngarwch cyson a chefnogaeth i gelf draddodiadol yn wyneb rhai sefydliadau eraill sy'n cefnogi tueddiadau cyfredol a'r hyn na allaf ond ei alw yn 'gimics'!

Dilynwyd Mike Francis yn y Llyfrgell gan Dr Paul Joyner a oedd hefyd yn hynod o gefnogol.

Yn yr arddangosfa yn 2002, mi wnes i gynnwys portread o Kate Lloyd. Roedd hi ar y pryd yn golofnydd a darlledwraig, ac wedi ysgrifennu erthygl canmoladwy am fy mhortread o Bryn Terfel.

Pan benderfynodd Kate adael Llundain a dychwelyd i fyw i Gaerdydd, doedd hi ddim yn rhy hir nes i mi gael cyfle i'w chyfarfod. Mi roedd bywyd y gohebydd celfyddydau byrlymus yn cylchdroi o gwmpas opera, y theatr, cyngherddau ac arddangosfeydd celf. Pan symudodd i fyw i ardal Penylan teimlais ei bod yn addas i mi ofyn i 'nghymydog newydd a fyddai hi'n fodlon i mi beintio portread ohoni. Pan gyrhaeddodd Kate y stiwdio mi roedd hi'n ysmygu, a gofynnais iddi a fydde hi'n fodlon i mi gynnwys sigarét yn y portread i ychwanegu at naturioldeb y darlun. Roedd y portread gorffenedig yn ddigon diniwed ond mi roedd ambell un yn teimlo fod 'na ddimensiwn arall yn perthyn iddo. Clywais am un gŵr bonheddig oedrannus o Aberystwyth a fydde'n cyfarfod ei ffrindiau yn wythnosol yng nghaffi'r Llyfrgell ac yn mynnu eu bod yn eistedd o gwmpas y portread o Kate Lloyd!

Mae'n rhyfedd, o'r holl bortreadau yn yr arddangosfa, mai'r un a gafodd y sylw mwyaf oedd yr un o'r ferch gyda'r sigarét!

Pennod 32

Y Gwir Anrhydeddus
Cledwyn Hughes

Cyfarfyddais â Cledwyn Hughes (yr Arglwydd Cledwyn o Benrhos) gyntaf yn 1985 pan oedd yn arweinydd yr wrthblaid yn Nhŷ'r Arglwyddi. Ond am ei gyfraniad fel Is-ganghellor Prifysgol Cymru roeddwn i wedi cael y comisiwn i'w baentio.

Gŵr â'i draed ar y ddaear, yn hawddgar a chwrtais oedd o, fel y gŵyr pawb oedd yn ei adnabod. Roeddem ar delerau da â'n gilydd o'r dechrau. Derbyniais lythyr clên ganddo yntau yn dweud ei fod yn ddiolchgar a'i fod yn edmygu'r tebygrwydd roeddwn wedi llwyddo i'w gyflawni.

Cefais gyfle i wneud portread arall ohono yn 2000, y tro hwn fel Is-ganghellor Prifysgol Bangor. Roedd yr eisteddiad cyntaf yn cael ei gynnal yn ei gartref ym Môn. Eisteddodd, yn ei gŵn a'i dei colegol, wrth fwrdd ei gegin, gyda'i law ar ei gyfrol o Who's Who. Roedd ôl bodio go egr ar y gyfrol! Unwaith eto, roedd Cledwyn a Jean, ei wraig, yn hynaws a chroesawgar a chefais bleser anghyffredin drwy'r holl broses o wneud y portread.

Pennod 33

William S Farish

Yn fuan ar ôl i lun o fy mhortread o'r Tywysog Charles ymddangos yn *The Times* cefais wahoddiad gan y Llysgennad Americanaidd i'w gyfarfod yn y Llysgenhadaeth Americanaidd yn Grosvenor Square.

Mi roedd 'na draddodiad fod y Llysgenhadaeth yn comisiynu portread o bob Llysgennad, ac ar ôl gweld fy mhortread o'r Tywysog, gofynnodd William S Farish a faswn i'n fodlon peintio portread ohono yntau hefyd.

Digwyddodd hyn i gyd yn ystod cyfnod eitha cythryblus, gyda'r tensiwn yn y Dwyrain Canol yn dechrau gwaethygu. Roedd yn rhyfedd sylwi mai'r unig luniau ar ddesg y Llysgennad oedd nid y rhai teuluol disgwyliedig ond un o Tony Blair a'r llall o Jack Straw.

Roedd ymweld â Wingfield House, cartref y Llysgennad yn Regent's Park, yn brofiad cofiadwy. Roedd yn amlwg ei fod yn gasglwr celf brwd, gyda lluniau traddodiadol a modern yn addurno'r waliau, gan gynnwys brasluniau trawiadol o geffylau gan Syr Alfred Munnings. Penderfynwyd peintio'r portread yn un o'r ystafelloedd gwadd, lle llwyddais ar ôl cryn ymdrech i osod y faner Americanaidd orfodol mewn pwced lo.

Mi roedd William Stamps Farish yn hapus iawn gyda'r darlun, ac yn syth fe gomisiynodd ail bortread o'i fferm fridio ceffylau enwog yn Kentucky, UDA.

Pennod 34

Y Gwir Anrhydeddus
Enoch Powell

Un o'r pethau dwi wedi ei ddarganfod yn ystod fy ngyrfa ydi'r ffaith mai trwy lwc neu ddamwain yn aml y mae sawl comisiwn wedi digwydd.

Cafwyd enghraifft o hyn ar ôl dadorchuddiad swyddogol fy mhortread o warden Coleg Llanymddyfri, Dr Brinley Jones. Daeth un o'r rhieni ataf a chyflwyno'i hun fel Glyn Lewis. Aeth ymlaen i ddweud y byddai'n hoffi comisiynu portread o Enoch Powell. Atebais drwy ddweud petai o'n gallu trefnu hyn, yna y byddwn yn hapus i dderbyn y gwaith. Ychydig a feddyliais wrth iddo neidio i mewn i'w gar Rolls Royce gyda rhif cofrestru personol LEW15 y byddwn yn clywed unrhyw beth pellach.

Ychydig wythnosau yn ddiweddarach, er mawr syndod imi, derbyniais lythyr oddi wrth Mr Lewis yn dweud y byddai Mr Powell yn fodlon eistedd am bortread yn ei gartref yn Llundain. Yr unig amod oedd fod yn rhaid i mi ysgrifennu ato yn swyddogol. Derbyniais lythyr yn ôl ganddo yn fy ngwahodd i'w gartref yn Eaton Terrace ac yn cynnig dyddiad ac amser penodol ar gyfer yr eisteddiad.

Cyrhaeddais y tŷ yn union ar amser ac agorwyd y drws ffrynt gan Mr Powell ei hun. Ei gyfarchiad oedd, 'Ie? Pwy ydach chi a beth yw natur eich busnes?' Ar ôl esbonio

cefais wahoddiad i mewn a fy nghyflwyno i'w wraig.

Roedd hi'n amlwg ar fin gadael am y siopau, a'i geiriau olaf i'w gŵr cyn ymadael oedd, 'Peidiwch anghofio'r llestri!'. Cefais fy arwain i ystafell weddol dywyll ar y llawr cyntaf, ymhell o fod yn ddelfrydol ar gyfer braslunio. Eisteddodd mewn cadair freichiau gan syllu arnaf heb ddweud gair. Roeddwn yn awyddus i gael rhyw fath o sgwrs, ond ei ateb i bob ymdrech gennyf oedd 'Ie' neu 'Nage' swta.

Ar ôl rhyw hanner awr roeddwn yn teimlo fel rhoi'r gorau iddi ond nid cyn un ymdrech ola! Dywedais fy mod yn hoff iawn o'r portread ohono gan Andrew Freeth yn y Galeri Portreadau Cenedlaethol. Goleuodd ei lygaid ac roedd gwên ar ei wyneb. Cafodd ei synnu fy mod yn ymwybodol o'r darlun ac aeth ymlaen i sôn am yr artist a oedd yn ffrind iddo. Newidiodd ei gymeriad yn llwyr.

Yn ymwybodol nad oeddwn yn rhy hapus gyda'r golau yn y stafell, awgrymodd ein bod yn symud i'w stydi. Roedd y golau yma yn berffaith ac roedd yn amlwg ei fod dipyn yn fwy cartrefol a siaradus yng nghanol ei lyfrau a'i bapurau. Sgwrsiodd yn ddifyr gan roi'r byd yn ei le. Roedd hefyd yn dangos gwir ddiddordeb yn yr hyn oedd yn digwydd yn wleidyddol yng Nghymru.

Tra roeddwn yn paratoi i adael cefais wahoddiad i fynd i ystafell arall a oedd yn llawn cartŵns gwleidyddol amdano. Wrth i mi gael fy arwain o un cartŵn i'r llall agorodd y drws. Roedd Mrs Powell wedi dychwelyd o'r siopau. 'O, druan ohonoch chi, Mr Griffiths, dwi'n siŵr eich bod yn hollol bôrd!' Esboniodd Enoch mai fi oedd wedi gofyn am gael gweld y casgliad. Atebodd Mrs Powell, 'Ia, dwi'n siŵr, ond yn bwysicach Enoch, ydych chi wedi golchi'r llestri?'.

Synhwyrais fod pethau'n dechrau poethi ac mai'r peth gorau i mi ei wneud oedd cynnig fy niolchiadau a dweud ffarwél i'r Powells.

Roedd y comisiwn yma wedi bod yn un o'r rhai mwyaf cofiadwy. O gyfarfod siawns mewn maes parcio yn Llanymddyfri i beintio portread o un o ffigurau gwleidyddol mwyaf dadleuol y cyfnod. Roedd hefyd wedi bod yn brofiad ei weld yn esblygu o fod yn rhwystrol ac yn anodd, i fod yn gymeriad cyfeillgar, cynnes a difyr.

Wrth i mi adael ymddiheurodd am ei agwedd pan gyrhaeddais. Esboniodd ei fod wedi cael gwybod ychydig ddyddiau yn ôl ei fod yn darged posib i derfysgwyr a doedd o ddim yn mynd i gymryd unrhyw siawns!

Pennod 35

Emrys Evans CBE

Fel y soniwyd yn gynharach, mae siawns, a bod yn y lle iawn ar yr amser iawn, yn gallu chwarae rhan bwysig i artist portreadau. Dyna yn union beth ddigwyddodd gyda W. Emrys Evans, a ddaeth yn ffrind da a chefnogwr brwdfrydig i'm gwaith. Roedd Emrys a'i wraig Mair wedi dychwelyd o Lundain i Gymru ar ôl iddo gael ei benodi'n Gyfarwyddwr Rhanbarthol Banc y Midland.

Yn fuan un bore mi glywais fod 'na Mrs Evans o Ddinas Powys wedi cysylltu gydag Oriel Gelf leol yn holi a oedden nhw yn gwybod am rywun fydde'n gallu glanhau darlun olew. Yn ffodus mi wnaethon nhw fy awgrymu i, gan ddweud fy mod wedi gwneud gwaith adfer a glanhau iddyn nhw yn y gorffennol.

Trefnais i gyfarfod Mrs Evans ac wrth sgwrsio esboniais mai artist portreadau oedd fy mhrif waith. Dangosodd ddiddordeb gan holi pwy roeddwn wedi'u portreadu a pha gomisiynau oedd gennyf ar y gweill. Digwyddais grybwyll y byddai George Thomas yr Aelod Seneddol a Llefarydd Tŷ'r Cyffredin yn gwneud testun portread arbennig, yn enwedig pe byddai'n gwisgo dillad seremonïol y swydd. Doeddwn i ddim yn meddwl fod unrhyw un arall wedi gwneud portread swyddogol. Dywedodd y byddai hi'n sôn am hyn wrth ei gŵr ac o fewn dyddiau cefais wahoddiad i gyfarfod Emrys yn ei swyddfa foethus ar lawr uchaf pencadlys Banc y Midland yng Nghaerdydd.

Cawsom drafodaeth ynglŷn â'r posibilrwydd o bortread o'r Llefarydd, i'w ddadorchuddio yn Neuadd y Ddinas ac wedi ei noddi gan Fanc y Midland. Clywais yn ddiweddarach fod Syr David Barron, pennaeth y Banc yn Llundain, wedi ceryddu Emrys am nad oedd wedi meddwl am y syniad ynghynt!

Mi roedd George Thomas wrth ei fodd gyda'r syniad a chefais wahoddiad i'w gyfarfod yn Nhŷ'r Llefarydd ar gyfer yr eisteddiad cyntaf. Cyrhaeddais y Tŷ yn brydlon a chefais fy arwain i ystafell foethus. Fe'm hysbyswyd y bydde'r Llefarydd yno cyn hir. Y peth nesa i mi ei glywed oedd llais yn dod o ben y grisiau 'Dyma fi, ymddiheuriadau am fod yn hwyr!' Roedd wedi ei wisgo yn nillad swyddogol, seremonïol, crand y swydd gyda'r wig yn goron ar ei ben. Cerddodd i lawr y grisiau yn theatraidd gan chwifio'i freichiau yn yr awyr! Roedd wedi gwneud ymdrech ar gyfer y portread ac roedd hynny yn golygu llawer i mi.

Fe gymerodd y portread flwyddyn i'w gwblhau. Roedd elfennau nad oeddwn yn fodlon â nhw; rhaid oedd cael pob manylyn yn berffaith a chyrraedd y safonau roeddwn wedi'u gosod imi fy hun. Ond o'r diwedd fe'i cwblhawyd.

Gwahoddodd Emrys benaethiaid y cyfryngau a'r wasg, Huw Davies HTV, Teleri Bevan BBC, Geoff Rich o'r *South Wales Echo* a nifer o rai eraill i ginio mawreddog ym mhencadlys y Banc. Fe benderfynwyd fod y dadorchuddiad o'r portread yn mynd i gael cyhoeddusrwydd enfawr, a dyna yn sicr beth a ddigwyddodd. Mi roedd George Thomas, y Wasg, y Cyfryngau, y Banc a Chyngor Caerdydd yn gytûn fod yr holl beth wedi bod yn llwyddiant ysgubol, a'r cyfan i lawr i Emrys Evans!

Mi roedd Emrys yn gyflym i sylweddoli'r cyfleoedd cyhoeddusrwydd mewn achlysuron dadorchuddio portreadau. Trwyddo ef fe ges i'r cyfle i bortreadu'r Arglwydd Elwyn Jones, Syr Geraint Evans, yr Arglwydd Cledwyn a fy ail bortread o'r Tywysog Charles.

Ym 1985 cafodd Emrys ei benodi yn Uchel Siryf De Morgannwg. Yn rhinwedd y swydd roedd disgwyl i Emrys a Mair drefnu nifer o giniawau yn ystod y flwyddyn. Mi roedd yr achlysuron yma yn ddigwyddiadau ffurfiol tei du ac roedd yn bwysig fod y nifer a oedd yn bresennol o gwmpas y bwrdd yn ffigwr crwn. Os byddai rhywun ar y funud olaf yn methu mynychu, mi fyddwn yn derbyn galwad gan Emrys yn fy annog i wisgo siwt a bod yno o fewn yr awr!

Dwi erioed wedi bod yn rhy hapus gyda rhyw fân siarad, ond byddwn wastad yn gwneud fy ngorau i ffitio i mewn. Yn ystod cinio un noson mi roeddwn yn eistedd nesaf at ddynes a oedd wedi ei gwisgo'n ysblennydd gyda gemwaith a oedd yn disgleirio o flaen fy llygaid. Trodd tuag ataf ac mewn llais uchel dywedodd, 'Dwi'n clywed eich bod yn artist portreadau, felly pwy dach chi'n ei bortreadu ar hyn o bryd?' Y gwir amdani oedd nad oedd gen i unrhyw gomisiwn ar y pryd, roedd hi wedi bod yn gyfnod eitha tawel.

Doeddwn i ddim eisiau siomi'r ddynes gan fy mod yn gallu gweld ei bod yn disgwyl yn eiddgar am ateb teilwng. Dechreuais siarad yn betrusgar, 'Wel, y ... y...'

Y peth nesaf a glywais oedd llais Emrys, a oedd yn amlwg wedi bod yn gwrando ar y sgwrs ac yn synhwyro fy embaras. 'David, peidiwch â meiddio dweud, dach chi'n gwybod yn iawn fod yr holl beth yn Top Secret.' Ymddiheurodd y ddynes yn ddiffuant, gan ddweud ei bod yn deall yn iawn. Enghraifft arall o Emrys yn edrych ar fy ôl.

Cefais y fraint o beintio portread o Emrys ei hun, ar ôl cael comisiwn gan Glwb Busnes Caerdydd. Mi wnaeth fy nghysylltiad gydag Emrys a Mair, yn ogystal â'u merch Eleri a'i gwr Arwel Peleg Williams, barhau yn gyson. Roedd cyfraniad Emrys i Gymru, yr Eisteddfod a bywyd y Capel yn wirioneddol arwyddocaol. Roedd wastad wedi bod mor gefnogol i mi a fy ngwaith, ac roedd hi hefyd yn anrhydedd i allu ei alw yn ffrind.

Pennod 36

Nigel Farage

Yn 2017, trefnwyd i mi beintio portread o Nigel Farage, A.S.E. a phennaeth UKIP. Pan gyfarfûm ag o am y tro cyntaf yn ei swyddfa yn San Steffan, prin y gallai fod wedi bod yn fwy croesawgar a chwrtais. Ychydig iawn a siaradwyd am wleidyddiaeth, yn hytrach roedd yn awyddus i sgwrsio am gelf. Roedd yn hynod o falch o'r ffaith ei fod yn perthyn i'r artist nodedig Rodrigo Moynihan a ddaeth i enwogrwydd ar ôl ei bortread o Margaret Thatcher.

O'r dechrau, roedd y portread o Nigel Farage, a oedd yn mynd i gael ei arddangos yn Arddangosfa Haf yr Academi Brenhinol, yn bwnc dadleuol. Mi esboniodd Grayson Perry, trefnydd yr arddangosfa, wrth Kirsty Wark ar y rhaglen deledu *Newsnight* fod y portread wedi ei ddewis i ddangos amrywiaeth a chynhwysiant.

Cawsai Nigel Farage ei wawdio yn ddidrugaredd yn y wasg ac ar y llwyfannau cymdeithasol. Er hyn, roedd y portread wedi ei osod mewn safle blaenllaw ym mhrif ystafell yr arddangosfa. Fe'i gwelwyd hefyd ar dudalennau'r papurau newydd cenedlaethol gydag aml i sylw crafog.

Cofiaf fod yn yr Academi un prynhawn yn sefyll o flaen y portread yn clustfeinio ar sylwadau'r cyhoedd. Sibrydodd un wraig wrth ei ffrind ei bod yn teimlo braidd yn anesmwyth oherwydd fod y portread yn ei hatgoffa o'r Mona Lisa gan fod llygaid Nigel yn ei dilyn o gwmpas yr

ystafell. Gan nad oeddwn erioed wedi cael fy nghymharu â Leonardo da Vinci o'r blaen, a gan sylweddoli ei bod yn annhebygol iawn y byddai hyn yn digwydd eto, teimlais fod hyn yn amser perffaith i mi adael!

Heb os, yr ymateb rhyfeddaf a gefais i'r darlun oedd gan ŵr busnes o'r Iseldiroedd a oedd yn awyddus i brynu'r portread er mwyn ei losgi'n gyhoeddus fel rhyw fath o stynt cyhoeddusrwydd!

Yn sgil hyn i gyd dechreuais feddwl am yr holl wleidyddion yr oeddwn wedi eu peintio dros y blynyddoedd. Heblaw am Enoch Powell, prin fu unrhyw ymateb gwleidyddol. Y cyntaf oedd Quintin Hogg, wedyn George Thomas, Cledwyn Hughes, yr Arglwydd Elwyn Jones, Bernard Weatherill, Gwynfor Evans, Dafydd Wigley, James Callaghan, Rhodri Morgan ac yna Elin Jones.

Pennod 37

Peter Prendergast

Oni bai am y ffaith imi gael fy mhenodi gan Gymdeithas Celf Gyfoes Cymru ym 1987 yn brynwr lluniau am y flwyddyn, mae 'na siawns na fyddwn wedi cyfarfod Peter Prendergast. Ar y cyfan roedd y byd celf yng Nghymru'n cael ei ddominyddu gan Kyffin Williams, Will Roberts, Josef Herman ac ychydig o artistiaid eraill. Ond roedd y monopoli yma ar fin cael ei dorri gan newydd-ddyfodiad, Peter Prendergast.

Yng nghanol yr 80au, roedd lluniau Peter yn sicr yn cynyddu mewn poblogrwydd, a'i waith yn cael ei drafod a'i brynu gan frid newydd o gasglwyr celf Cymreig.

Tra roeddwn yn astudio yn y Slade roeddwn yn ymwybodol iawn fod rhai o'r myfyrwyr wedi dod dan ddylanwad artistiaid Llundain fel David Bomberg, Leon Kossoff a Frank Auerbach. Roedd eu harddull nhw yn golygu eu bod yn trin paent gyda llymder a gerwindeb mewn steil anghynrychioliadol. Mi roedd Peter yn awyddus i gyflwyno'r arddull yma i Gymru, ac yn syth fe gydiodd ei ddarluniau yn nychymyg perchnogion galerïau a'r prynwyr.

Yn rhinwedd fy ngwaith fel prynwr gyda'r Gymdeithas Gelf Cyfoes, cefais wahoddiad i ymweld â Peter a'i wraig Lesley yn eu cartref diarffordd ger Bethesda. Allan o ffenest ei stiwdio gallwn weld golygfa sydd wedi ymddangos yn

nifer o ddarluniau Peter. Fy argraff cyntaf ohono oedd ei fod yn berson cymharol dawel a diymhongar, ond mi roedd yn ymwybodol iawn o'r sylw yr oedd ei waith yn ei dderbyn.

Prynais un o'i ddarluniau ar ran y Gymdeithas, a chytunodd i ddod i lawr i Gaerdydd i eistedd am bortread. Mi roedd wrth ei fodd o glywed fod y portread yn mynd i gael ei gynnwys yng nghasgliad y Llyfrgell Genedlaethol. Roeddwn innau yr un mor bles i dderbyn gwahoddiad ganddo i agoriad swyddogol ei arddangosfa yng ngaleri enwog Agnews yn Bond Street, Llundain. Y lluniau a apeliodd fwyaf i mi oedd nid yn gymaint ei dirluniau o ogledd Cymru ond ei ddarluniau enfawr o *skyscrapers* Efrog Newydd. Roedd uchder anhygoel yr adeiladau hynny yn symbol o lwyddiant cynyddol Peter Prendergast.

Pennod 38

Cip dros Ysgwydd

Wrth edrych yn ôl dros fy mywyd a 'ngyrfa, dwi'n ei chael hi'n anodd credu y cyfan sydd wedi digwydd. Dwi wedi bod mor ffodus! Fy magwraeth ym Mhwllheli, astudio yn un o'r colegau celf gorau yn y byd a'r cyfle drwy fy ngwaith i gyfarfod â phobol o bob cefndir.

Yn rhyfedd, does gen i yr un uchafbwynt penodol. Yr uchafbwynt i mi ydi'r ffaith fy mod wedi dod cyn belled ac yn dal i allu parhau i weithio. Dwi'n barhaol yn cwestiynu, yn arbrofi ac yn dadansoddi ffyrdd i esblygu. Yr hyn sydd yn fy ngyrru ac yn fy sbarduno yw ceisio cyrraedd nod anghyraeddadwy.

Dwi wastad wedi bod yn berson eitha disgybledig ac yn ymdrechu i weithio yn y stiwdio bob dydd. Mae'r gwaith yn hunan-ysgogol gyda sialens newydd yn ddyddiol ac nid yw byth yn ddiflas. Dwi erioed wedi cael patrwm pendant i fy niwrnod; fydda i ddim yn dechrau'n brydlon bob bore ar amser penodol. Mae'r cyfnodau dwi'n eu treulio yn y stiwdio yn gallu newid o ddydd i ddydd, ac os nad ydi pethau yn mynd yn rhy dda yna 'cau'r siop' a dechrau eto yn ffres yfory!

Er fy mod wedi cael nifer o gomisiynau dros y blynyddoedd, rhaid cyfadde nad oes gen i deimlad o

falchder arbennig am un portread yn fwy nag un arall. Dwi
wastad wrth gwrs yn ymdrechu i'w gyflawni hyd eithaf fy
ngallu, ond ar ôl i mi ei orffen, yr un yw fy ymateb bob tro,
sef y byddai wedi gallu bod yn well.

Fel artist portreadau sy'n dibynnu ar gomisiynau i
wneud bywoliaeth, mae'n rhaid cyflawni nifer o ofynion.
Mae hyn yn golygu mai anaml y gallwch chi wneud fel y
dymunwch. Dwi'n fwyaf hapus yn gweithio ar bortreadau
sydd heb gael eu comisiynu, i ffrindiau neu gymeriadau
dwi'n eu cyfarfod.

Mae portreadau a wnes i'n ddiweddar o Derek y
Fframiwr a Clive y Dyn Golchi Ffenestri yn sicr ymhlith fy
ffefrynnau. Mae hyn yn rhoi cyfle i mi arbrofi gydag
arddulliau ffres, gwahanol gyfansoddiadau a threfniadau
lliw. Yn aml mi fyddaf yn teimlo fod brasluniau olew yn
gweithio'n well na phaentiadau ffurfiol gorffenedig sy wedi
cael eu gorweithio.

Un o'r pethau dwi'n difaru ydi'r ffaith na chefais y cyfle
i beintio mwy o ferched, ond mi roedd y comisiynau bron
i gyd am bortreadau o ddynion. Erbyn hyn, wrth gwrs, mae
pethau dipyn yn wahanol.

Flynyddoedd yn ôl cysylltodd Syr Alun Talfan Davies â
mi i beintio portread o Norah Isaac, arloeswr addysg drwy
gyfrwng y Gymraeg. Mi roedd hi ar y pryd yn ddarlithydd
yng Ngholeg y Drindod Caerfyrddin, ac esboniodd Syr
Alun ei fod o a grŵp o ffrindiau yn awyddus i dalu am y
portread.

Ymhen ychydig, cefais lythyr gan Norah yn esbonio nad
oedd yn hapus fod pobol yn mynd i gyfrannu yn ariannol
tuag at y darlun, ac nad oedd yn teimlo yn deilwng o'r fath
anrhydedd. Ymddiheurodd, ac aeth ymlaen i ddweud ei
bod yn gobeithio nad oeddwn yn mynd i gymryd ei
phenderfyniad yn bersonol gan ei bod yn edmygydd o fy
ngwaith. Dwi'n dal i drysori'r llythyr gan ei fod wedi gadael

Derek y Fframiwr

Clive y Golchwr Ffenestri

cryn argraff arnaf. Doeddwn i ddim yn ei hadnabod yn dda ond teimlais fod y llythyr yn dweud cyfrolau am ei chymeriad.

Mae sawl un wedi gofyn i mi dros y blynyddoedd beth sy'n gwneud portread llwyddiannus. Ai'r llygaid, neu efallai y geg? Mae cymaint o gyfuniadau. Dwi'n credu fy mod wedi rhoi cynnig arnynt i gyd, o'r brasluniau sy'n cymryd ychydig oriau, i'r portreadau cyflawn a manwl sy'n gallu cymryd oesoedd i'w cwblhau.

Wrth gwrs, mae angen tebygrwydd, ond mae'n rhaid cael cymeriad hefyd. Y gyfrinach ydi gwybod pryd i stopio!

Yn anffodus does dim fformiwla ddiffiniol i sicrhau llwyddiant. Falle y dylwn fod wedi gweithio yn galetach; yn sicr mi fyddwn wedi hoffi bod yn well arlunydd. Roeddwn yn ymwybodol o'm cyfyngiadau a dwi wastad wedi ceisio gwthio yn erbyn y ffiniau gymaint ag yr wyf wedi meiddio gwneud.

Gyda'r holl hunan bortreadau dwi wedi eu peintio dros y blynyddoedd, dwi'n ymwybodol y gallai rhai pobol feddwl fy mod yn berson sy'n byrlymu gyda hunan-falchder. Gallaf eich sicrhau nad oes dim byd yn bellach o'r gwirionedd!

Yn dal yn fy meddiant mae hunan-bortread ohonof yn bymtheg oed, yn methu yn anobeithiol gyda'r dwylo! Felly beth yw'r obsesiwn yma gyda artistiaid â hunan-bortreadau? Mae'r ateb yn syml. Er mwyn cynnal safon mae'n rhaid gweithio yn barhaus, yn debyg i gerddor sy'n ymarfer yn ddyddiol. Y 'model' hawsaf, ac yn sicr y rhataf, yw chi eich hunan! Mae hyn yn rhoi cyfle i mi arbrofi gyda golau a gwahanol arddulliau. Weithiau mi fyddaf yn gweithio'n araf ac yn bwrpasol, dro arall yn gyflym gyda phaent yn tasgu i bobman!

Cefais dipyn o syndod un tro i glywed fod rhywun wedi prynu un o fy hunanbortreadau, a mwy o syndod i glywed mai'r prynwr oedd neb llai na Maigret ei hun, yr actor

Rupert Davies! Flynyddoedd yn ddiweddarach deuthum ar draws y darlun mewn pentwr o luniau yn un o ystafelloedd Plas Glyn y Weddw!

Ar un achlysur mi wnes i hyd yn oed gyfuno portread gyda hunan-bortread. O bryd i'w gilydd mi fyddai'r artist Wil Roberts, a oedd yn byw yng Nghastell-nedd, yn dod gyda'i deulu i Gaerdydd i siopa. Tra bod ei wraig Phyllis a'i ferch Siân yn cerdded o gwmpas y siopau, mi fyddai Wil yn dod draw i fy stiwdio am sgwrs. Awgrymais iddo un tro gan ei fod yn eistedd yn y stiwdio y baswn yn peintio portread ohono. Cytunodd ar un amod, sef fod y portread yn ei ddangos yn braslunio portread ohonof i, a dyna a fu. Yr artist yn portreadu artist yn portreadu'r artist!

Mae'n siŵr mai un o'r hunanbortreadwyr enwocaf oedd Rembrandt. Mi roedd yn gyson yn cofnodi ei hun gan ddangos treigl amser. Mi fyddai hefyd yn gwisgo gwisgoedd egsotig ac yn cynnwys ei hun yn ei gampweithiau Beiblaidd. Os oedd y broses yma yn ddigon da i Rembrandt mae'n sicr yn ddigon da i Dafydd Llŷn (fy Enw yng Ngorsedd!)

Mi fyddaf yn aml yn meddwl yn ôl i'r cyfnod pan oeddwn yn hogyn bach direidus yng Nghapel Penmount, Pwllheli, wrth fy modd yn ystod y bregeth yn gwneud cartŵns o'r blaenoriaid ar dudalennau blaen y llyfr emynau. Pwy fasa wedi meddwl y baswn wedi llwyddo i wneud gyrfa o hynny!

Yn ddieithriad roedd bod yng nghwmni enwau cyfarwydd i bawb fel Barry John, Syr Geraint Evans, Joe Calzaghe, Syr Bryn Terfel a Shane Williams yn brofiadau bythgofiadwy. Mae wedi bod yn anrhydedd aruthrol i fod yn y sefyllfa i roi ar gof a chadw rai o fawrion y Genedl.

Yn stafell ffrynt fy nhŷ mae dau bortread a wneuthum. Yn ddieithriad pan fydd rhywun yn galw heibio am y tro cyntaf, yr un yw'r cwestiwn, sef 'Pwy ydyn nhw?'. Yr ateb

*Muriel,
fy mam
a
Fred,
fy nhad*

ydi Fred a Muriel, neu fy mam a nhad. Mae'r portreadau yn atgof dyddiol i mi o'r ddau a beth a gefais ganddynt yn ddiamod, sef cariad a chefnogaeth. Dyna oedd cefndir fy magwraeth.

Fel y basai unrhyw un a oedd yn eu hadnabod ym Mhwllheli yn tystio, mi roedd y ddau yn mwynhau ac yn byw bywyd i'r eithaf. Doedd fy nhad byth yn hapusach na phan oedd yn gwneud i bobl wenu neu chwerthin, boed hynny yn un o ddramâu Wil Sam neu ar y stryd fawr yng nghwmni ffrindiau.

Yn gyffredinol dyna'r athroniaeth dwi wedi ceisio'i ddilyn hefyd. Dros y blynyddoedd mae 'na ugeiniau o bobol wedi eistedd yn amyneddgar yn y stiwdio tra 'mod i'n ymdrechu i ddal tebygrwydd ar y cynfas. Rhai yn swil a rhai yn hyderus. Fy ngobaith ydi nad oedd y broses a'r profiad yn rhy annymunol, ac yn bwysicach fyth, bod y cynnyrch terfynol wedi plesio!